U0102305

中國美術全集

中國美術全集

玉　器　三

全國百佳圖书出版單位
ARTTIME 時代出版
時代出版傳媒股份有限公司
黄　山　書　社

目　　録

三國至五代十國（公元二二〇年至公元九六〇年）

頁碼	名稱	時代	發現地	收藏地
519	獅形飾	唐		故宮博物院
520	水晶猪	唐	陜西西安市長安區南里王村竇皦墓	陜西省考古研究院
520	葵花形盤	唐	河南洛陽市	河南省洛陽博物館
521	瑪瑙鉢	唐	陜西西安市新城區韓森寨	陜西省西安市文物保護考古所
521	網紋鉢	唐	河南伊川縣	河南省洛陽博物館
522	羚羊首瑪瑙杯	唐	陜西西安市何家村	陜西歷史博物館
523	八瓣花形杯	唐	陜西西安市何家村	陜西歷史博物館
523	橢圓形瑪瑙杯	唐	陜西西安市何家村	陜西歷史博物館
524	八瓣花形水晶杯	唐	陜西西安市何家村	陜西歷史博物館
524	鴛鴦鋬委角方粉盒	唐	陜西西安市曲江池遺址	陜西省西安市文物保護考古所
525	粉盒	唐	陜西鳳翔縣	陜西省考古研究院
525	兔形鎮	唐	河南許昌市	河南省文物商店
526	匙	唐	陜西禮泉縣唐昭陵趙王李福墓	陜西省昭陵博物館
526	水晶椁	唐	陜西扶風縣法門寺地宮	陜西省法門寺博物館
527	龍首形飾	唐	陜西西安市曲江池遺址	陜西省西安市文物保護考古所
527	鷹首形飾	唐	陜西西安市未央區唐大明宫遺址	陜西省西安市文物保護考古所
528	蝴蝶形佩	五代十國	浙江臨安市玲瓏鎮康陵	浙江省臨安市文物館
528	鳳形簪首	五代十國	浙江臨安市玲瓏鎮康陵	浙江省臨安市文物館
529	大帶	五代十國	四川成都市王建墓	四川博物院
530	童子	五代十國	浙江杭州市雷峰塔地宮	浙江省文物考古研究所
531	靈芝花飾片	五代十國	浙江臨安市玲瓏鎮康陵	浙江省臨安市文物館
531	龍形花片	五代十國	浙江臨安市玲瓏鎮康陵	浙江省臨安市文物館

遼至元（公元九一六年至公元一三六八年）

頁碼	名稱	時代	發現地	收藏地
532	組佩	遼	内蒙古奈曼旗遼陳國公主墓	内蒙古自治區文物考古研究所
533	組佩	遼	内蒙古奈曼旗遼陳國公主墓	内蒙古自治區文物考古研究所
534	組佩	遼	内蒙古奈曼旗遼陳國公主墓	内蒙古自治區文物考古研究所
535	交頸鴛鴦佩	遼	内蒙古奈曼旗遼陳國公主墓	内蒙古自治區文物考古研究所
535	飛天佩	遼	遼寧喀喇沁左翼蒙古族自治縣白塔子遼墓	遼寧省博物館
536	飛天佩	遼	内蒙古翁牛特旗解放營子墓葬	内蒙古自治區赤峰市文物工作站

頁碼	名稱	時代	發現地	收藏地
536	魚形佩	遼	內蒙古奈曼旗遼陳國公主墓	內蒙古自治區文物考古研究所
537	胡人吹長笛紋帶銙	遼	內蒙古敖漢旗薩力巴鄉水泉墓葬	內蒙古自治區敖漢旗博物館
537	胡人吹笙紋帶銙	遼	內蒙古敖漢旗薩力巴鄉水泉墓葬	內蒙古自治區敖漢旗博物館
538	胡人飲酒紋帶銙	遼	內蒙古敖漢旗薩力巴鄉水泉墓葬	內蒙古自治區敖漢旗博物館
538	胡人吹觱篥紋帶銙	遼	內蒙古敖漢旗薩力巴鄉水泉墓葬	內蒙古自治區敖漢旗博物館
539	雙鳳紋握手	遼	內蒙古奈曼旗遼陳國公主墓	內蒙古自治區文物考古研究所
539	鴻雁琥珀飾	遼	內蒙古奈曼旗遼陳國公主墓	內蒙古自治區文物考古研究所
540	獸形飾	遼	內蒙古巴林右旗白音長汗窖藏	內蒙古自治區巴林右旗博物館
540	水晶鼠形飾	遼	內蒙古喀喇沁旗宮家營子鄉吉旺營子遼墓	內蒙古自治區赤峰市博物館
541	水晶魚形飾	遼	內蒙古喀喇沁旗宮家營子鄉吉旺營子遼墓	內蒙古自治區赤峰市博物館
541	瑪瑙杯	遼	遼寧法庫縣葉茂臺村7號墓	遼寧省博物館
542	雲龍紋杯	遼	遼寧阜新市紅帽子村遼塔地宮	遼寧省博物館
542	蓮花紋杯	遼	遼寧阜新市紅帽子村遼塔地宮	遼寧省博物館
543	鹿紋八角杯	遼		故宮博物院
543	瑪瑙花式碗	遼	遼寧阜新市清河門村	遼寧省博物館
544	金鏈竹節盒	遼	遼寧阜新市塔營子村	遼寧省博物館
545	“疊勝”琥珀盒	遼	遼寧阜新市紅帽子村遼塔地宮	遼寧省博物館
546	雙鵝帶蓋小盒	遼	遼寧阜新市清河門村	遼寧省博物館
546	鳥銜花形佩	北宋	陝西西安市雁塔區	陝西省西安市文物保護考古所
547	雲雁紋鉈尾	北宋	河北定州市静志寺塔基地宮	河北省定州市博物館
547	人形飾	北宋	陝西西安市未央區六村堡鄉徐家寨	陝西省西安市文物保護考古所
548	水晶孔雀形飾	北宋	河北定州市静志寺塔基地宮	河北省定州市博物館
548	水晶魚形飾	北宋	河北定州市静志寺塔基地宮	河北省定州市博物館
549	龜鹿鶴紋牌	北宋	陝西西安市交通大學	陝西省西安市文物保護考古所
549	雙鳥紋盒	北宋	河北定州市静志寺塔基地宮	河北省定州市博物館
550	雙鶴銜芝形佩	金	北京房山區長溝峪石椁墓	首都博物館
551	折枝花形鎖	金	北京房山區長溝峪石椁墓	首都博物館
551	花鳥形佩	金	北京豐臺區王佐鄉金代烏古倫窩倫墓	首都博物館
552	竹枝形佩	金	北京房山區長溝峪石椁墓	首都博物館
552	龜巢荷葉形佩	金	北京豐臺區王佐鄉金代烏古倫窩倫墓	首都博物館
553	天鵝形佩	金	黑龍江哈爾濱市新香坊墓葬	黑龍江省博物館
553	鳥銜花形佩	金	黑龍江哈爾濱市新香坊墓葬	黑龍江省博物館
554	魚形佩	金	黑龍江綏濱縣中興鄉墓葬	黑龍江省博物館
554	花瓣形環	金	北京豐臺區王佐鄉金代烏古倫窩倫墓	首都博物館

頁碼	名稱	時代	發現地	收藏地
555	孔雀形釵	金	北京房山區長溝峪石椁墓	首都博物館
555	荷葉魚形墜	金	陝西西安市譚家鄉范家寨	陝西省西安市文物保護考古所
556	天鵝形飾	金		故宮博物院
556	折技花飾	金	北京房山區長溝峪石椁墓	首都博物館
557	雙鹿紋牌飾	金	黑龍江綏化縣奥里米古城周圍墓葬	黑龍江省博物館
557	蓮鷺紋爐頂	金	吉林扶餘市風華鄉班德古城	吉林省博物院
558	童子	金	黑龍江綏濱縣中興鄉墓葬	黑龍江省博物館
558	童子	金	黑龍江綏濱縣中興鄉墓葬	故宮博物院
559	仙人山子鈕	金		故宮博物院
559	荷花冠飾	金	吉林長春市石碑嶺完顔婁室墓	遼寧省旅順博物館
560	水晶獅形佩	南宋	江西上饒市茶山寺趙仲湮墓	江西省博物館
560	龍首帶鈎	南宋	江西吉水縣金灘鄉南宋張宣義墓	江西省吉水縣博物館
561	龜游荷葉	南宋	四川廣漢市和興鄉聯合村	四川省廣漢市文物管理所
561	瑪瑙環耳杯	南宋	安徽休寧縣朱晞顔夫婦合葬墓	安徽省博物館
562	荷葉形杯	南宋	浙江衢州市王家鄉瓜園村史繩祖墓	浙江省衢州市博物館
562	碗	南宋	安徽休寧縣朱晞顔夫婦合葬墓	安徽省博物館
563	獸面紋卣	南宋	安徽休寧縣朱晞顔夫婦合葬墓	安徽省博物館
563	滑石簋	南宋	江西樟樹市杜師伋墓	江西省博物館
564	兔形鎮	南宋	浙江衢州市王家鄉瓜園村史繩祖墓	浙江省衢州市博物館
564	雲龍紋帶扣	宋		故宮博物院
565	雙鶴銜芝紋佩	宋		故宮博物院
565	竹枝蟠龍紋佩	宋		故宮博物院
566	凌霄花形佩	宋		故宮博物院
566	魚形佩	宋		故宮博物院
567	龍紋帶環	宋		故宮博物院
568	菩薩頭像	宋	浙江杭州市見仁里村	浙江省杭州歷史博物館
568	舉蓮童子	宋		故宮博物院
569	神獸	宋		故宮博物院
569	卧鹿	宋	北京海淀區黑舍里氏墓	首都博物館
570	人物山子	宋		故宮博物院
571	松下仕女紋飾	宋		故宮博物院
571	雙神獸紋飾	宋		故宮博物院
572	丹鳳朝陽紋飾	宋		故宮博物院
572	龍耳杯	宋		故宮博物院

頁碼	名稱	時代	發現地	收藏地
592	貫耳蓋瓶	元	安徽安慶市范文虎夫婦合葬墓	安徽省博物館
592	人形耳禮樂紋杯	元		故宮博物院
593	十角雙耳杯	元		故宮博物院
593	龍首柄杯	元		故宮博物院
594	葵花式杯	元		故宮博物院
594	山茶花式杯	元		故宮博物院
595	桑結貝帝師印	元		西藏自治區羅布林卡
595	龍鈕押	元		故宮博物院

明（公元一三六八年至公元一六四四年）

頁碼	名稱	時代	發現地	收藏地
596	垂异寶石花佩	明	北京昌平區十三陵定陵	北京市定陵博物館
597	雲龍紋佩	明	江西南昌市樂化鄉風嶺村明墓	江西省博物館
597	雙鳳紋佩	明	江蘇無錫市藕塘鄉明墓	江蘇省無錫市博物館
598	雙兔紋佩	明	湖北鍾祥市明梁莊王墓	湖北省文物考古研究所
598	魚形佩	明	上海陸氏墓	上海博物館
599	蟠龍紋帶環	明		故宮博物院
599	龍首帶鈎	明		江蘇省無錫市博物館
600	祝壽紋帶	明	北京海淀區北京市商學院工地明代太監墓	北京市文物研究所
601	花鳥紋帶	明	甘肅蘭州市上西園彭澤墓	甘肅省博物館
602	龍紋帶	明	江西南城縣明益莊王朱燁墓	江西省博物館
603	嬰戲紋帶扣和帶銙	明		故宮博物院
603	龍紋帶扣	明	江蘇南京市中央門外張家窪汪興祖墓	南京博物院
604	龍紋帶扣	明	陝西西安市碑林區南廓門	陝西省西安市文物保護考古所
604	團龍紋帶扣	明	上海松江區西林塔基地宮	上海市文物管理委員會
605	螭紋帶扣	明	陝西西安市蓮湖區土門	陝西省西安市文物保護考古所
605	螭紋帶扣	明	北京密雲縣清代乾隆皇子墓	首都博物館
606	龍穿花紋帶銙	明		故宮博物院
606	麒麟紋帶銙	明	陝西西安市雁塔區三爻村	陝西省西安市文物保護考古所
607	菱花形龍紋帶銙	明	陝西西安市	陝西省西安市文物保護考古所
607	龍紋帶銙	明	陝西西安市交通大學	陝西省西安市文物保護考古所

頁碼	名稱	時代	發現地	收藏地
608	龍穿花紋帶銙	明	陝西西安市	陝西省西安市文物保護考古所
608	麒麟花卉紋帶銙	明	江西南城縣岳口鄉游家巷明益定王朱由木墓	江西省博物館
609	花鳥紋嵌玉金簪	明	湖北鍾祥市明代梁莊王墓	湖北省文物考古研究所
609	瓜葉紋嵌玉金簪	明	湖北鍾祥市明代梁莊王墓	湖北省文物考古研究所
610	雲龍紋嵌玉金帽頂	明	湖北鍾祥市明代梁莊王墓	湖北省文物考古研究所
610	雁形墜	明	陝西西安市	陝西省西安市文物保護考古所
611	執荷童子	明	上海盧灣區打浦橋明顧氏家族墓	上海市文物管理委員會
611	三童子	明	上海松江區西林塔基地宮	上海市文物管理委員會
612	卧童	明	上海盧灣區打浦橋明顧氏家族墓	上海市文物管理委員會
612	童子	明	湖北鍾祥市明代梁莊王墓	湖北省文物考古研究所
613	菩薩	明		故宫博物院
614	童子卧馬	明		故宫博物院
614	觀音送子	明		故宫博物院
615	麒麟	明		故宫博物院
615	卧馬	明		故宫博物院
616	狗	明		故宫博物院
616	鴛鴦戲蓮	明	江西南城縣岳口鎮七寶山明益宣王墓	江西省博物館
617	飛雁穿花紋飾	明	陝西西安市	陝西省西安市文物保護考古所
617	弈棋人物紋飾	明		天津博物館
618	人物紋山形飾	明	浙江安吉縣鄣吴鎮吴麟夫婦墓	浙江省安吉縣博物館
618	人物紋葉形飾	明	浙江安吉縣鄣吴鎮吴麟夫婦墓	浙江省安吉縣博物館
619	鶻捕鵝形飾	明	湖北鍾祥市明代梁莊王墓	湖北省文物考古研究所
619	圭形飾	明	浙江安吉縣鄣吴鎮吴麟夫婦墓	浙江省安吉縣博物館
620	螭紋橢圓形飾	明	陝西西安市	陝西省西安市文物保護考古所
620	龍戲牡丹紋飾	明	上海松江區西林塔基地宮	上海市文物管理委員會
621	嵌玉鎏金銀飾	明	上海盧灣區打浦橋明顧氏家族墓	上海市文物管理委員會
622	金鑲玉蝶	明	上海黄浦區麗園路明朱查卿墓	上海市文物管理委員會
622	壽鹿山子	明		故宫博物院
623	雙鹿山子	明	安徽靈璧縣高樓鎮窖藏	安徽省靈璧縣文物管理所
623	鼎形簍	明	安徽潛山縣彰法山明墓	安徽省潛山縣博物館
624	獸面紋衝耳爐	明		故宫博物院
625	簋式爐	明		故宫博物院
626	獸面紋獸耳爐	明		故宫博物院
626	龍紋獸耳簋	明		天津博物館

頁碼	名稱	時代	發現地	收藏地
627	八出戟方觚	明		故宮博物院
628	獸面紋觚	明	安徽靈璧縣高樓鎮窖藏	安徽省靈璧縣文物管理所
628	海棠花式觚	明		天津博物館
629	雲紋蓋瓶	明	北京密雲縣清代乾隆皇子墓	首都博物館
630	螭紋雙環耳扁壺	明		天津博物館
630	勾連紋匜	明		浙江省杭州歷史博物館
631	雲紋螭耳匜	明		天津博物館
632	龍柄匜	明		故宮博物院
632	夔鳳紋尊	明		故宮博物院
633	龍鳳紋尊	明	北京海淀區黑舍里氏墓	首都博物館
634	甪端香熏	明		故宮博物院
635	八仙圖執壺	明		故宮博物院
636	金托執壺	明	北京昌平區十三陵定陵	北京市定陵博物館
637	嬰戲紋執壺	明		故宮博物院
637	竹節式執壺	明		故宮博物院
638	執壺	明	安徽靈璧縣高樓鎮窖藏	安徽省靈璧縣文物管理所
639	合巹杯	明		故宮博物院
639	合巹杯	明		故宮博物院
640	雙螭杯	明	北京宣武區右安門外明萬貴墓	首都博物館
640	嬰嬉圖杯	明	江蘇南京市太平門外板倉村明墓	江蘇省南京市博物館
641	雙螭耳杯	明		故宮博物院
641	九螭杯	明		故宮博物院
642	環耳杯	明		故宮博物院
642	夔龍紋雙耳杯	明	安徽靈璧縣高樓鎮窖藏	安徽省靈璧縣文物管理所
643	花耳杯	明	北京昌平區十三陵定陵	北京市定陵博物館
644	龍耳象首活環托杯	明		故宮博物院
644	葵花杯	明	山東鄒縣朱檀墓	山東省博物館
645	“鶴鹿同春”人物紋杯	明		故宮博物院
646	桃式杯	明		故宮博物院
646	竹筒形杯	明		故宮博物院
647	爵杯	明	北京昌平區十三陵定陵	北京市定陵博物館
648	雙螭耳杯	明		天津博物館
648	人形柄琥珀杯	明	江蘇南京市江寧區沐叡墓	江蘇省南京市江寧區博物館
649	金蓋碗	明	北京昌平區十三陵定陵	北京市定陵博物館

頁碼	名稱	時代	發現地	收藏地
649	“壽”字花卉紋碗	明		故宫博物院
650	花鳥紋碗	明		故宫博物院
650	硯滴	明	北京海淀區黑舍里氏墓	首都博物館
651	荷葉洗	明		故宫博物院
652	龍魚式花插	明		臺北故宫博物院
652	水晶梅花紋花插	明		故宫博物院
653	靈芝式花插	明		故宫博物院
653	螭紋筆	明		故宫博物院
654	磬佩	明		故宫博物院

清（公元一六四四年至公元一九一一年）

頁碼	名稱	時代	發現地	收藏地
655	九螭紋璧	清		天津博物館
656	《圭瑁説》圭	清		故宫博物院
657	雙龍佩	清		故宫博物院
657	龍鳳紋佩	清	北京豐臺區	北京市文物研究所
658	雙鳳紋佩	清		故宫博物院
658	龍鳳紋斧形佩	清		故宫博物院
659	雲紋韘形佩	清	北京海淀區黑舍里氏墓	首都博物館
659	螭紋韘形佩	清	陕西西安市何家村	陕西省西安市文物保護考古所
660	雕花三套連環佩	清		故宫博物院
661	月令組佩	清		故宫博物院
662	佛手形佩	清	河北南皮縣張之洞舊宅	河北省文物保護中心
662	四蝠捧璧佩	清		故宫博物院
663	獸面合璧連環	清		故宫博物院
663	龍首螭紋帶鈎環	清		故宫博物院
664	比翼同心合符	清		故宫博物院
665	鴛鴦紋帶鈎	清	陕西西安市	陕西省西安市文物保護考古所
666	童子	清	陕西西安市雁塔區三爻村	陕西省西安市文物保護考古所
666	青金石牧童騎牛	清		故宫博物院
667	雙童洗象	清		故宫博物院

頁碼	名稱	時代	發現地	收藏地
668	嬰戲	清		故宮博物院
668	番人戲象	清		遼寧省旅順博物館
669	佛	清		故宮博物院
669	羅漢	清		故宮博物院
670	觀音	清		故宮博物院
671	蕉葉仙姑	清		浙江省杭州歷史博物館
671	道士頭像	清	北京海淀區圓明園長春園含經堂遺址	北京文物研究所
672	角端	清		故宮博物院
673	海馬負書	清		故宮博物院
673	辟邪	清		故宮博物院
674	三羊開泰	清		天津博物館
674	麒麟獻瑞	清		故宮博物院
675	卧牛	清		故宮博物院
675	三鵝戲蓮	清		浙江省杭州歷史博物館
676	十二生肖	清		故宮博物院
677	大禹治水圖山子	清		故宮博物院
678	會昌九老圖山子	清		故宮博物院
679	秋山行旅圖山子	清		故宮博物院
680	觀瀑圖山子	清		故宮博物院
681	人物山水圖山子	清		故宮博物院
681	桐蔭仕女圖飾	清		故宮博物院
682	漁船	清		故宮博物院
682	游船	清		故宮博物院
683	鳳柄執壺	清		故宮博物院
684	葫蘆形執壺	清		故宮博物院
684	花蝶紋執壺	清		故宮博物院
685	鳩紋執壺	清		故宮博物院
686	四環耳壺	清		故宮博物院
687	獸耳活環壺	清		故宮博物院
687	夔耳活環壺	清		故宮博物院
688	雙耳活環壺	清		故宮博物院
689	异獸壺	清		故宮博物院
689	象首足壺	清		故宮博物院
690	龍柄執壺	清		故宮博物院

頁碼	名稱	時代	發現地	收藏地
690	描金獸面紋貫耳蓋瓶	清		遼寧省旅順博物館
691	花葉紋梅瓶	清		故宫博物院
691	獸面紋雙耳瓶	清		故宫博物院
692	獸耳活環瓶	清		故宫博物院
693	菊瓣紋活環耳瓶	清		故宫博物院
693	山水圖獸耳瓶	清		故宫博物院
694	瓜棱紋蜻蜓耳活環蓋瓶	清		故宫博物院
695	龍紋蝶耳活環瓶	清		故宫博物院
696	獸面紋出戟瓶	清		故宫博物院
697	雙連瓶	清		故宫博物院
698	螭紋菱形瓶	清		故宫博物院
698	鐘表紋六方瓶	清		故宫博物院
699	梅花紋瓶	清		故宫博物院
700	水晶夔紋八環瓶	清		故宫博物院
701	龍戲珠瓶	清		故宫博物院
701	龍鳳紋瓶	清		故宫博物院
702	夔耳瓶	清		故宫博物院
703	瑪瑙龍鳳瓶	清		故宫博物院
704	鷹熊雙連瓶	清		故宫博物院
704	鳳螭紋蓋瓶	清		天津博物館
705	鳳螭紋雙聯蓋瓶	清		天津博物館
706	海棠式觚	清		故宫博物院
706	獸面紋象耳活環觚	清		故宫博物院
707	三羊尊	清		故宫博物院
707	龍穿花紋蝶耳尊	清		故宫博物院
708	天鷄尊	清		故宫博物院
709	青金石獸耳活環爐	清		故宫博物院
710	獸面紋雙耳爐	清		故宫博物院
710	獸面紋雙耳爐	清		故宫博物院
711	蓮花八寶紋爐	清		故宫博物院
711	瑪瑙螭鈕獅足香爐	清		浙江省杭州歷史博物館
712	瑪瑙龍耳獅足香爐	清		浙江省杭州歷史博物館
712	雲帶紋雙耳爐	清		故宫博物院
713	仿召夫鼎	清		故宫博物院

頁碼	名稱	時代	發現地	收藏地
714	獸面紋簋	清		故宮博物院
714	獸面紋簋	清		故宮博物院
715	龍紋獸形匜	清		天津博物館
715	鳳首龍柄觥	清		故宮博物院
716	龍首觥	清		故宮博物院
716	龍首觥	清		故宮博物院
717	瑪瑙鳳首觥	清		故宮博物院
718	獸面紋兕觥	清		故宮博物院
719	水晶兕觥	清		故宮博物院
720	碧玉架白玉杯	清		故宮博物院
721	瑪瑙杯	清		故宮博物院
721	菊瓣紋高足杯	清		故宮博物院
722	水晶八角杯	清		故宮博物院
722	雙龍耳杯	清		故宮博物院
723	刻詩葵瓣紋碗	清		故宮博物院
723	薄胎菊瓣碗	清		首都博物館
724	錯金嵌寶石碗	清		故宮博物院
725	三螭紋盞	清		故宮博物院
725	菊瓣耳盤	清		故宮博物院
726	花瓣式盤	清		故宮博物院
726	牡丹花熏	清		故宮博物院
727	八卦紋香熏	清		故宮博物院
727	夔龍紋香熏	清		故宮博物院
728	“山”字紋花熏	清		故宮博物院
728	獸面紋香熏	清		故宮博物院
729	瑪瑙花鳥紋罐	清		故宮博物院
729	龍耳活環瓜棱紋蓋罐	清		故宮博物院
730	天鷄紋罐	清		故宮博物院
730	團花蓋罐	清		故宮博物院
731	嵌寶石爐　瓶　盒	清		故宮博物院
732	動物紋豆	清		故宮博物院
733	四蝶耳八環奩	清		故宮博物院
733	勾蓮紋活環奩	清		故宮博物院
734	果盒	清		西藏自治區羅布林卡

頁碼	名稱	時代	發現地	收藏地
734	白菜花插	清		故宫博物院
735	翡翠丹鳳紋花插	清		故宫博物院
735	佛手式花插	清		故宫博物院
736	龍鳳花插	清		故宫博物院
737	瑪瑙雙孔花插	清		故宫博物院
737	鵝形水丞	清		故宫博物院
738	龍鳳雙孔水丞	清		故宫博物院
739	牡丹紋螭耳洗	清		故宫博物院
739	雙童耳洗	清		故宫博物院
740	蝠蓮紋獸耳活環洗	清		故宫博物院
740	四花耳活環洗	清		故宫博物院
741	雲龍紋洗	清		故宫博物院
741	嵌寶石八角菱花洗	清		故宫博物院
742	竹林七賢圖筆筒	清		故宫博物院
743	竹溪六逸圖筆筒	清		故宫博物院
743	山水人物圖筆筒	清		天津博物館
744	八卦十二章紋印色池	清		故宫博物院
744	雙獅戲球鎮	清		浙江省杭州歷史博物館
745	三羊開泰鎮	清		故宫博物院
745	雙蟹鎮	清		故宫博物院
746	橋形筆架	清		故宫博物院
746	橋形筆架	清		故宫博物院
747	漁樵圖香筒	清		故宫博物院
747	雙檠燭臺	清		故宫博物院
748	蓮瓣高柄托	清		故宫博物院
748	人物紋香囊	清		故宫博物院
749	荷蓮紋香囊	清		故宫博物院
749	花鳥紋香囊	清	陝西西安市	陝西省西安市文物保護考古所
750	漁樵圖插屏	清		故宫博物院
751	耕讀圖插屏	清		故宫博物院
752	福壽圖牌	清		浙江省杭州歷史博物館
752	編磬	清		故宫博物院
753	吉慶有餘磬	清		故宫博物院
754	龍鳳靈芝紋如意	清		故宫博物院

頁碼	名稱	時代	發現地	收藏地
754	花形匙	清		故宫博物院
755	年 表			

兔形飾

隋

陝西西安市李靜訓墓出土。
長2.7、寬2 厘米。
圓雕而成。腹部有一穿孔。
現藏中國國家博物館。

金扣盞

隋

陝西西安市李靜訓墓出土。
高4.1、口徑5.6、足徑2.9厘米。
杯大口平唇，深腹，假圈足，
口沿外一周鑲金。
現藏中國國家博物館。

雙股釵

隋

陝西西安市李静訓墓出土。

長6.8–8.1、頂寬1.5–1.8厘米。

三件形制相同，均爲雙股釵。

現藏中國國家博物館。

雲龍紋璧

唐

直徑9.6厘米。

利用淺浮雕和陰刻技法琢製紋飾戲珠，一面爲團龍，另一面爲四朵如意形雲紋。

現藏上海博物館。

嵌金佩

唐

陝西西安市孫家灣村唐大明宮遺址出土。

高4.5、底邊長4.8厘米。

牌形飾。平面近似桃形，兩側爲對稱的三連弧邊形，頂部爲三角形。正面陰刻蔓草紋，内嵌金絲。

現藏陝西省西安市文物保護考古所。

人物撫鹿紋佩

唐

江蘇無錫市鄧灣里顧林夫婦合葬墓出土。

高7.7、寬4.3厘米。

橢圓形狀，中間較厚，邊緣稍薄。通體以淺浮雕技法，琢刻人物撫鹿圖，人物、侍童和神鹿錯落有致，神情并茂，旁邊以捲草雲紋裝飾，渾然一體。

現藏江蘇省無錫市博物館。

人物撫鹿紋佩背面

飛天佩

唐

高3.9、寬7.1厘米。

飛天梳高髻，長目小口，着披肩，
下身着裙，飛翔于雲間。

現藏故宮博物院。

伎樂紋帶

唐

陝西西安市何家村出土。

長3.5–4.5厘米。

這組玉帶出土時裝在銀藥盒内，共十六枚，
有橢圓、長方、正方幾種，雕伎樂紋。

現藏陝西歷史博物館。

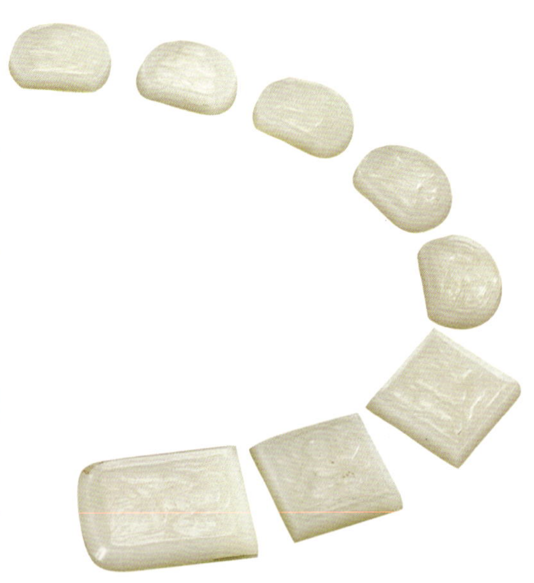

金玉寶鈿帶

唐

陝西西安市長安區南里王村竇皦墓出土。

通長150厘米。

此帶由扣、銙、環、扣眼、蹀躞帶尾飾及鞓組成，玉爲地，内嵌金和寶石。

現藏陝西省考古研究院。

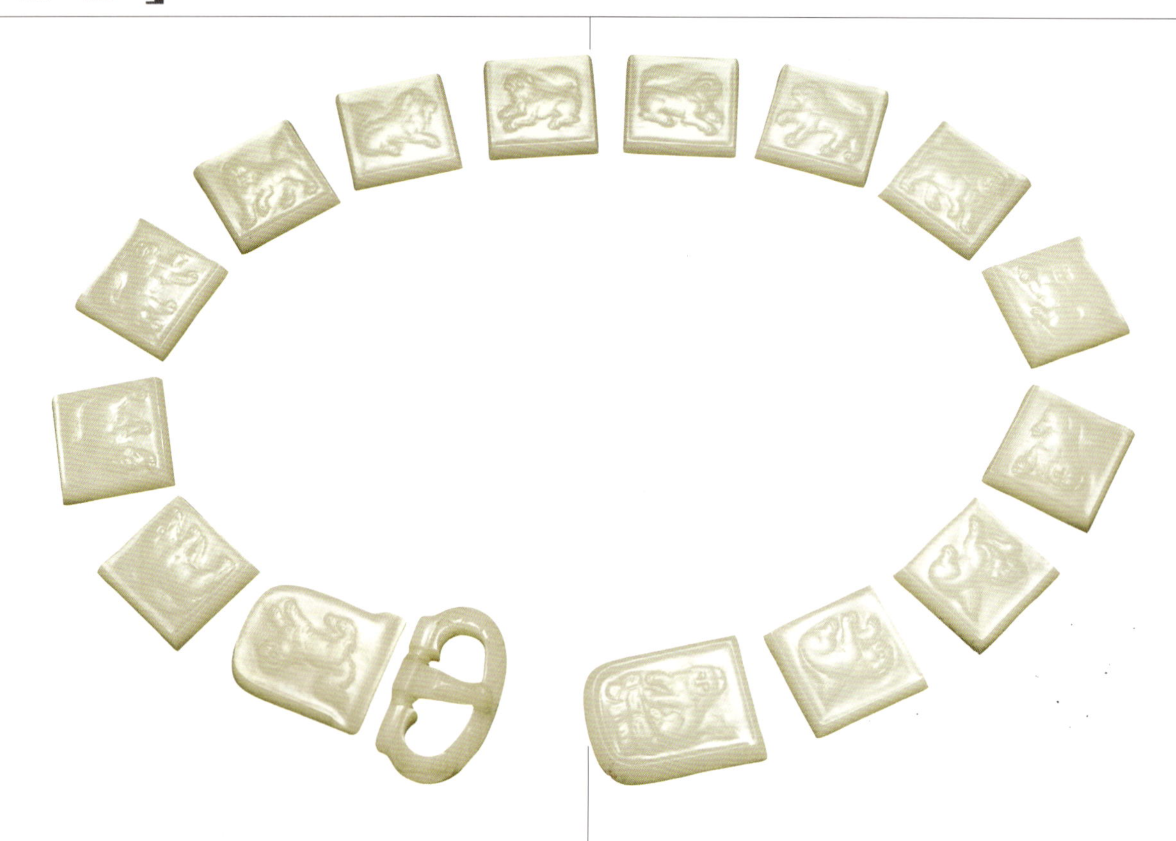

獅紋帶

唐

陝西西安市何家村出土。

銙長3.5–5厘米。

玉質純净晶瑩，分别雕有不同形象的獅紋，神態嬌憨可愛。刀法簡潔明快，紋飾微凸。

現藏陝西歷史博物館。

胡騰舞紋鉈尾（右圖）

唐

陝西禮泉縣唐昭陵陵園出土。

長10.3、寬5.1厘米。

正面淺浮雕刻舞人，以陰刻細綫勾勒人物各部位及服飾。

現藏陝西省西安市文物保護考古所。

仙人紋鉈尾

唐

長10.5、寬5.3厘米。

正面浮雕并細綫刻站式仙人，頭上有雲氣，右手執麈尾，右脚旁一鹿。

現藏天津博物館。

胡人吹笙紋帶銙

唐

陝西西安市出土。

長4.9、寬4.6厘米。

正面雕一盤坐在圓毯上吹笙的胡人形象。

現藏陝西省西安市文物保護考古所。

胡人吹橫笛紋帶銙

唐

陝西西安市未央區關廟小學出土。

長5.1、寬4.7厘米。

銙正面與背面等大，正面雕一盤坐在方毯上吹橫笛的胡人。

現藏陝西省西安市文物保護考古所。

胡人擊拍紋帶銙

唐

陝西西安市未央區關廟小學出土。

長4.2、寬4厘米。

底面略大，側面均呈斜坡狀，邊棱內傾，正面碾琢出踞坐在方毯上擊拍板的胡人。四角各鑽一象鼻孔。

現藏陝西省西安市文物保護考古所。

胡人吹觱篥紋帶銙

唐

陝西西安市未央區關廟小學出土。

長5.1、寬4.7厘米。

玉銙正、背等大。正面碾琢出盤坐在方毯上吹觱篥的胡人。

現藏陝西省西安市文物保護考古所。

胡人奏樂紋帶銙

唐

陝西西安市未央區關廟小學出土。

長5.1、寬4.7厘米。

玉銙正、背等大，正面碾琢出一踞坐在方毯上奏樂的胡人。胡人頭部和靴牢表面有沁色。

現藏陝西省西安市文物保護考古所。

胡人飲酒紋帶銙

唐
陝西西安市未央區關廟小學出土。
長5.1、寬4.7厘米。
正面四邊向内傾斜，其内碾琢一盤坐在方毯上飲酒的胡人。
現藏陝西省西安市文物保護考古所。

胡人擊羯鼓紋帶銙

唐
陝西西安市未央區關廟小學出土。
長5、寬4.5厘米。
左下角殘失，正、背面等大。其内碾琢出一坐在方毯上擊羯鼓的胡人。
現藏陝西省西安市文物保護考古所。

胡人飲酒紋帶銙

唐

陝西西安市未央區關廟小學出土。

長5.1、寬4.7厘米。

兩面等大。正面邊棱向内傾斜，中部碾琢出一袒腹盤坐于圓毯的胡人。胡人左臂屈肘靠于高墊之上，右手舉杯欲飲酒。

現藏陝西省西安市文物保護考古所。

胡人彈琵琶紋帶銙

唐

陝西西安市新城區韓森寨唐墓出土。

長5.2、寬5厘米。

呈正方形。正面以半浮雕技法雕琢一個盤腿坐于氈毯之上彈奏琵琶的胡人形象。

現藏陝西省西安市文物保護考古所。

鑲金鐲

唐
陝西西安市何家村出土。
直徑8.1厘米。
一對。鐲由三節相等的白玉相合成環，環節間以黄金爲箍頭和活頁。
現藏陝西歷史博物館。

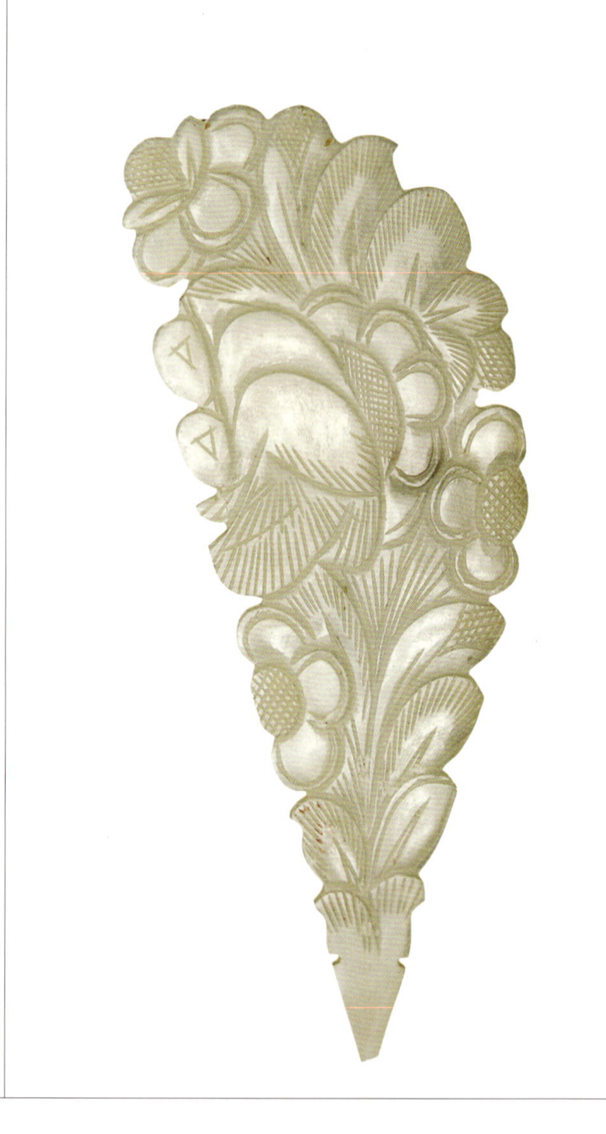

海棠鴛鴦紋簪花（右圖）

唐
陝西西安市交通大學内唐興慶宫遺址出土。
長11.5、寬4厘米。
雕刻成一束繁茂的枝葉形狀，上飾海棠花，在最大的一朵花上飾一對鴛鴦。
現藏陝西省西安市文物保護考古所。

海棠石榴紋簪花

唐

陝西西安市交通大學内唐興慶宫遺址出土。

長10、寬2.8厘米。

雕刻成一束繁茂的枝葉狀，上飾海棠花，頂部飾一石榴。

現藏陝西省西安市文物保護考古所。

花形簪首

唐

寧夏吴忠市唐墓出土。

長4.8厘米。

呈枝葉狀，局部透雕。枝葉之上爲兩朵開放的花朵，周緣爲花葉，正中爲花蕊。底部有一較短的柄，柄上有孔，應與髮簪相連。

現藏寧夏回族自治區文物考古研究所。

飛鴻祥雲紋梳背

唐

陝西西安市出土。

長15、寬5.1厘米。

兩面陰綫刻劃飛鴻和祥雲。

現藏陝西歷史博物館。

海棠花葉紋梳背

唐

陝西西安市茅坡村出土。

長7、寬2.3厘米。

兩面分别飾海棠花葉紋，直邊有子口。

現藏陝西省西安市文物保護考古所。

荷花魚龍紋梳背

唐

浙江臨安市堂山村水邱墓出土。

長14.5、寬5.7厘米。

白玉，半月形。一面刻三朵盛開的荷花，另一面刻三朵含苞欲放的荷花，兩側刻一尾魚化龍。

現藏浙江省臨安市文物館。

獅形飾

唐

長5、寬2、高3.1厘米。

獅成伏卧狀，昂首，平視前方。

現藏故宮博物院。

水晶猪

唐

陝西西安市長安區南里王村竇皦墓出土。

長4厘米。

水晶質。猪呈卧姿，爲劍柄上的璧飾。

現藏陝西省考古研究院。

葵花形盤

唐

河南洛陽市出土。

高3.5、口徑32.4、底徑14.5厘米。

花邊沿，淺腹、平底、圈足。

現藏河南省洛陽博物館。

瑪瑙鉢

唐
陝西西安市新城區韓森寨出土。
高7.5、口徑13.5厘米。
瑪瑙質。敞口，深腹，圜底。
現藏陝西省西安市文物保護考古所。

網紋鉢

唐
河南伊川縣出土。
高8.7、口徑8.7厘米。
敞口、平沿、圓弧腹、圈足，
内腹璧下刻網狀紋。
現藏河南省洛陽博物館。

羚羊首瑪瑙杯

唐

陝西西安市何家村出土。
長15.5、口徑5.9厘米。
瑪瑙質。造型仿犀角杯，
雕一羚羊頭，形象生動。
現藏陝西歷史博物館。

八瓣花形杯

唐

陝西西安市何家村出土。

高3.5、口徑5.5–9.9厘米。

八瓣花形，杯外壁飾尖葉忍冬捲草紋。

現藏陝西歷史博物館。

橢圓形瑪瑙杯

唐

陝西西安市何家村出土。

高6.6、長13.5厘米。

瑪瑙質。夾有淺色紋理，

紋路自然，似行雲流水。

現藏陝西歷史博物館。

八瓣花形水晶杯

唐

陝西西安市何家村出土。

高2.5、口徑6–9.6厘米。

以透明白色水晶製作。八曲長橢形，深腹，下有短圈足。

現藏陝西歷史博物館。

鴛鴦鋈委角方粉盒

唐

陝西西安市曲江池遺址出土。

長4.5、寬3.5厘米。

盒蓋面與底面飾蓮花紋，一側飾鴛鴦紋鋈。

現藏陝西省西安市文物保護考古所。

粉盒

唐
陝西鳳翔縣出土。
長3.7、寬3、高1.2厘米。
橢圓形，無紋飾。
現藏陝西省考古研究院。

兔形鎮

唐
河南許昌市徵集。
長8.5、高4.5厘米。
兔呈卧姿，眼圓睜，平視前方，雙耳後伏于背。
現藏河南省文物商店。

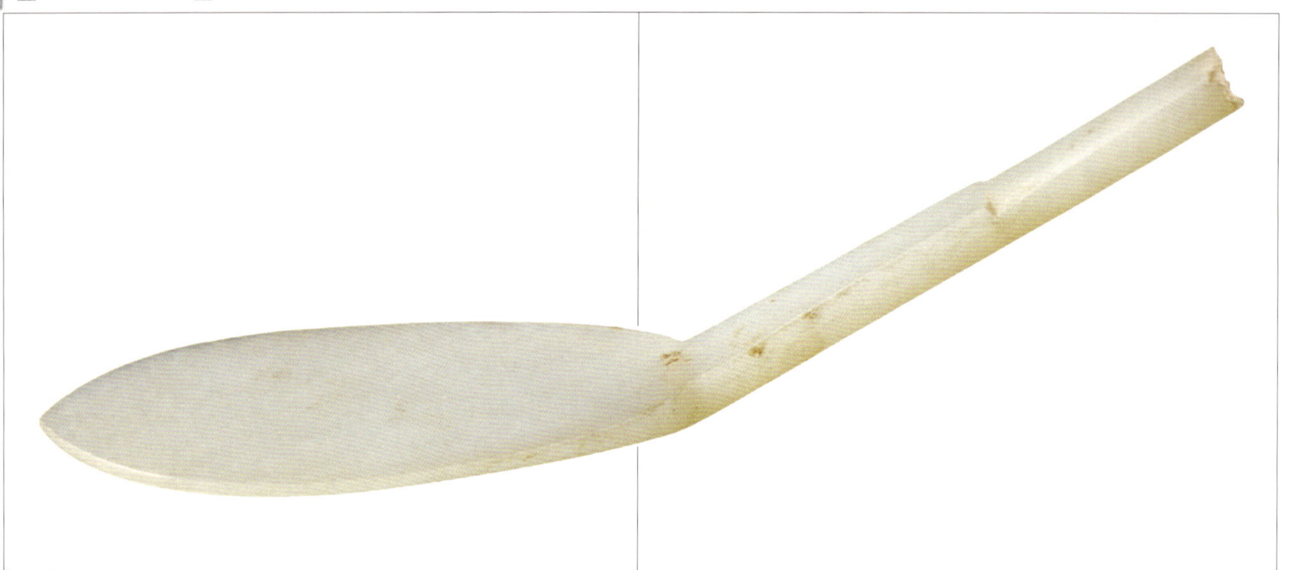

匙

唐
陝西禮泉縣唐昭陵趙王李福墓出土。
殘長12.7、寬3.3厘米。
匙面呈橢圓形，光素無紋。
現藏陝西省昭陵博物館。

水晶槨

唐
陝西扶風縣法門寺地宮出土。
長10.5、高7厘米。
槨由拱弧形蓋、長方形的槨室和槨座組成。
現藏陝西省法門寺博物館。

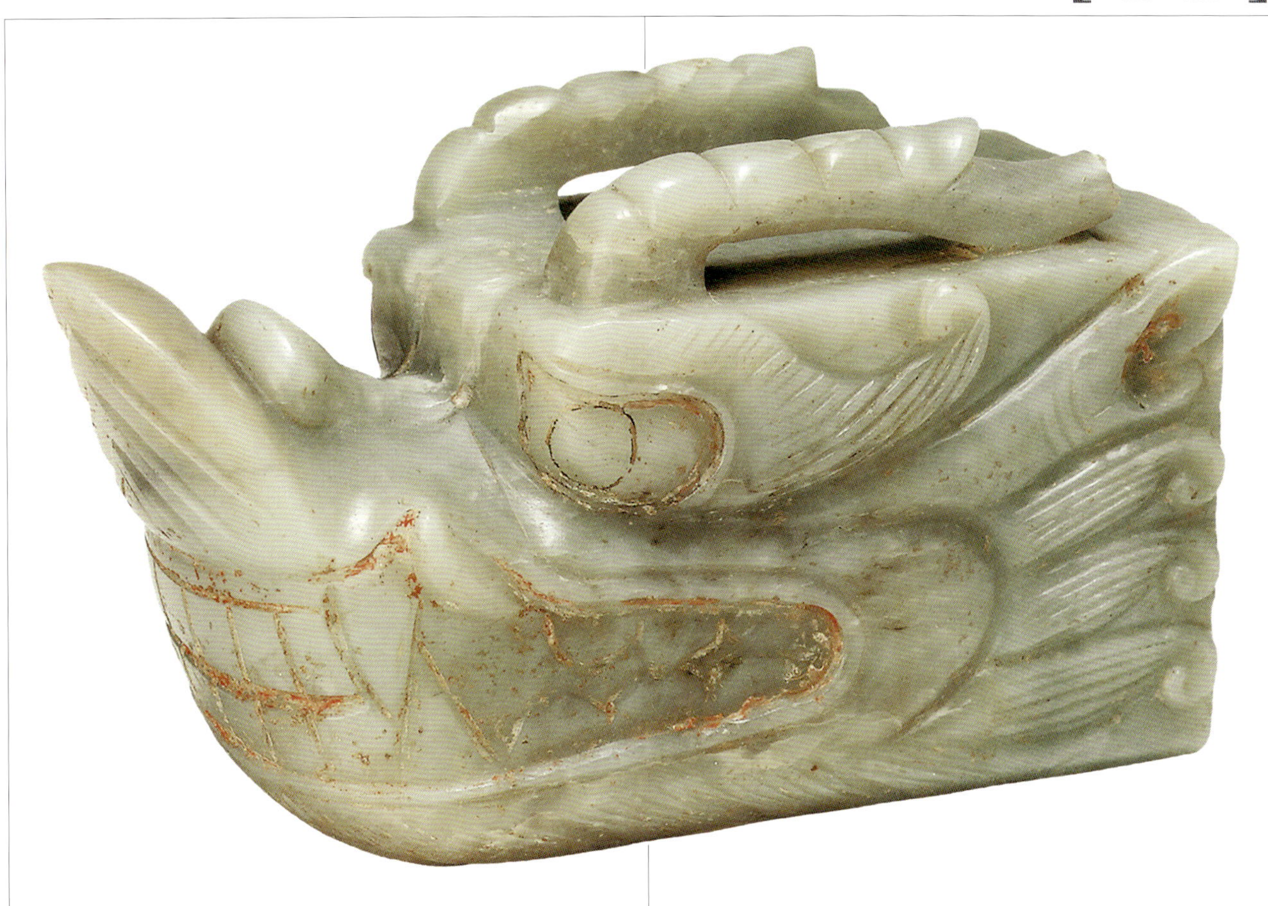

龍首形飾

唐
陝西西安市曲江池遺址出土。
長18、寬7.5、高10.2厘米。
頸後爲長方形凹槽，頂端至槽有一孔。
現藏陝西省西安市文物保護考古所。

鷹首形飾

唐
陝西西安市未央區唐大明宫遺址出土。
長11、寬6、高5厘米。
頸後一大圓孔，背鑽五個小圓孔，應爲構件。
現藏陝西省西安市文物保護考古所。

蝴蝶形佩

五代十國
浙江臨安市玲瓏鎮康陵出土。
長6.6、寬4厘米。
半圓形，透雕與陰綫雕刻相結合，
表現一隻展翅欲飛的蝴蝶。
現藏浙江省臨安市文物館。

鳳形簪首

五代十國
浙江臨安市玲瓏鎮康陵出土。
長10.5、寬4.2厘米。
以鏤空與陰刻兩種雕刻技法相結合，中間
透雕兩朵花卉，周邊繞以四朵靈芝花卉，
花卉的細部紋理以陰綫勾勒。
現藏浙江省臨安市文物館。

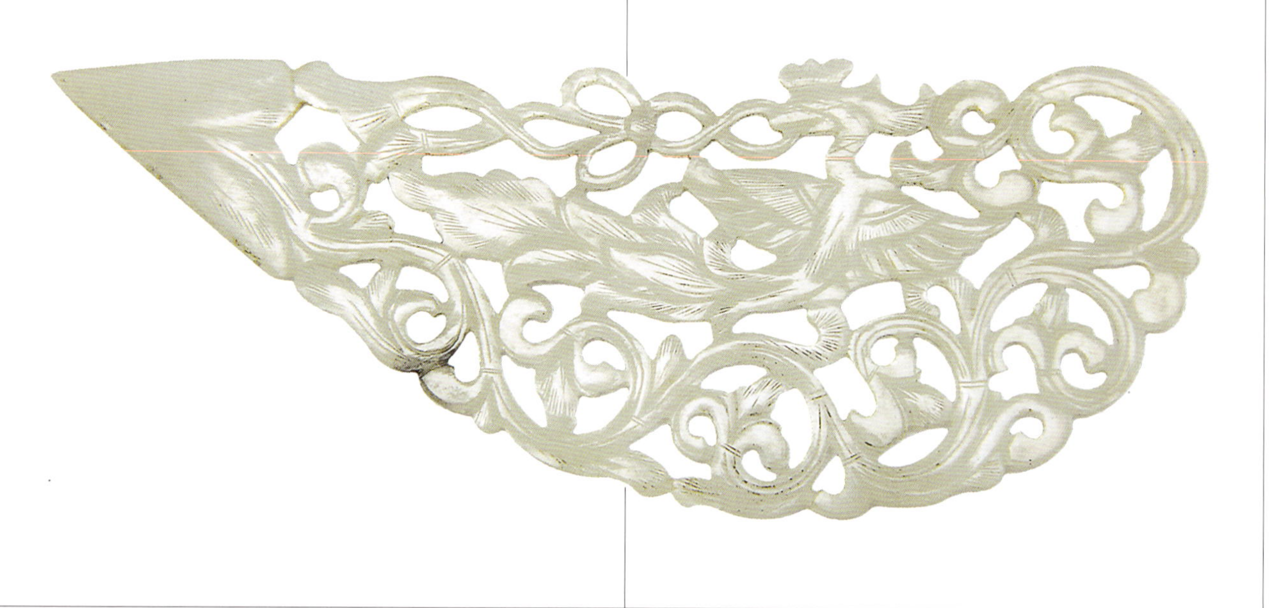

大帶

五代十國
四川成都市王建墓出土。
長19.5厘米。
由七方銙、一方鉈尾、兩節革帶和一對銀扣組成。
現藏四川博物院。

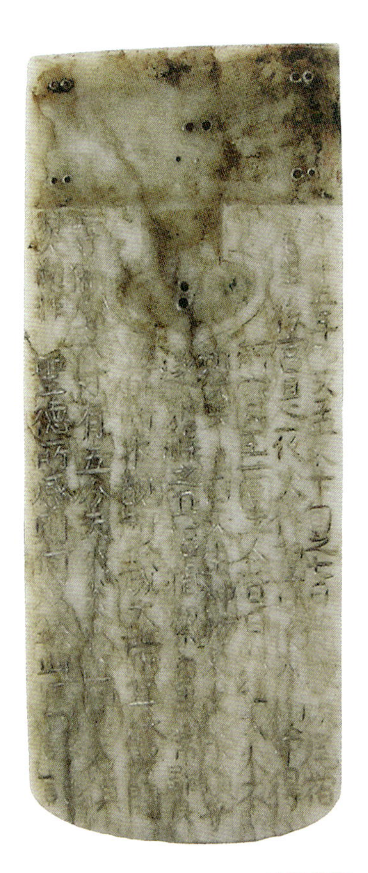

鉈尾背面

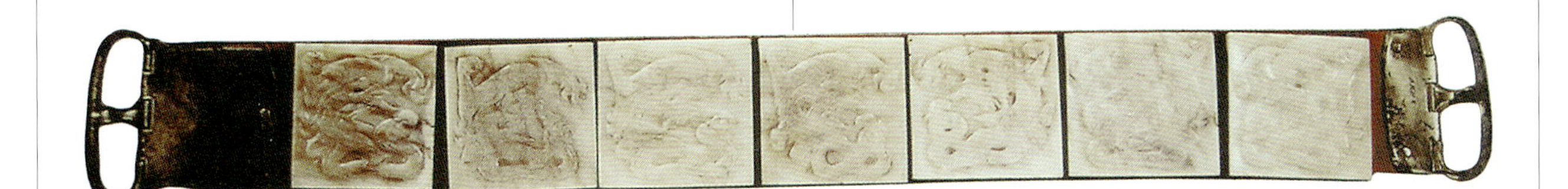

童子

五代十國

浙江杭州市雷峰塔地宮出土。

高8.8、底座長4.5、寬3.8厘米。

透明，局部鏤空，正背兩面陰刻細部花紋。

童子雙手掐腰，站立于飄浮的雲彩之上。

現藏浙江省文物考古研究所。

靈芝花飾片

五代十國
浙江臨安市玲瓏鎮康陵出土。
高6.3、寬8.4厘米。
鏤空及陰綫刻手法。邊緣刻四朵靈芝花，中間二朵四瓣花卉。
現藏浙江省臨安市文物館。

龍形花片

五代十國
浙江臨安市玲瓏鎮康陵出土。
長5.5、寬3厘米。
呈三角形，雙面雕，局部鏤空，上部刻一飛龍。
現藏浙江省臨安市文物館。

組佩

遼

內蒙古奈曼旗遼陳國公主墓出土。

長4.9–7.5厘米。

由六件玉飾組成。鏤雕綬帶紋玉飾下繫摩羯形玉墜、雙魚形玉墜、雙鳳形玉墜、雙龍形玉墜及卧魚形玉墜。

現藏內蒙古自治區文物考古研究所。

組佩

遼

內蒙古奈曼旗遼陳國公主墓出土。

通長38厘米。

玉製的一朵倒垂蓮，蓮瓣貫穿六根金鏈，金鏈下邊各繫玉製的錐、刀、銼、剪子和勺等。

現藏內蒙古自治區文物考古研究所。

組佩

遼

内蒙古奈曼旗遼陳國公主墓出土。

通長15厘米。

玉佩由一件玉璧以鎏金銀鏈垂挂五件玉墜組成。均爲白玉製作，器表光亮。玉璧外周雕刻如意形雲紋，正面微雕十二生肖。玉墜圓雕，有蛇、猴、蝎、蟾蜍和蜥蜴。現藏内蒙古自治區文物考古研究所。

交頸鴛鴦佩

遼
內蒙古奈曼旗遼陳國公主墓出土。
長6、寬2、高2.8厘米。
兩隻鴛鴦交頸而卧，頸背間有穿孔。
現藏內蒙古自治區文物考古研究所。

飛天佩

遼
遼寧喀喇沁左翼蒙古族自治縣
白塔子遼墓出土。
長4.6、寬3.5厘米。
一對。飛天着披肩，下身着裙，
雙手合于胸前，飛翔于雲間。
現藏遼寧省博物館。

飛天佩

遼

内蒙古翁牛特旗解放營子墓葬出土。

長5.2厘米。

飛天戴平頂帽，着短袖衣，下穿長腿褲，作飛翔狀，披肩向後飄于天際。

現藏内蒙古自治區赤峰市文物工作站。

魚形佩（右圖）

遼

内蒙古奈曼旗遼陳國公主墓出土。

長23.5厘米。

由一件魚形盒、一件玉飾和七棵珠飾用金絲穿連而成。玉盒用整塊白玉雕成，呈魚形，一分爲二，中空，子母口。玉飾呈長方形，白色，鏤空。

現藏内蒙古自治區文物考古研究所。

胡人吹長笛紋帶銙

遼
內蒙古敖漢旗薩力巴鄉水泉墓葬出土。
長6.7、寬6厘米。
正面刻一人面向右而坐，上身前傾，左腿高抬，半立起振動打節拍，雙手握一長笛作吹奏狀。
現藏內蒙古自治區敖漢旗博物館。

胡人吹笙紋帶銙

遼
內蒙古敖漢旗薩力巴鄉水泉墓葬出土。
長6.7、寬6厘米。
正面刻一人盤坐，上半身略轉向右，雙手捧一笙，十指按孔作吹奏狀，左膝略抬起作打節拍狀。
現藏內蒙古自治區敖漢旗博物館。

胡人飲酒紋帶銙

遼
內蒙古敖漢旗薩力巴鄉水泉墓葬出土。
長6.9、寬6厘米。
正面刻一人，正面坐。其右手托一杯，左手按于膝上，邊飲酒邊在欣賞樂舞，左手似隨着樂舞的節奏在膝上打節拍。
現藏內蒙古自治區敖漢旗博物館。

胡人吹觱篥紋帶銙

遼
內蒙古敖漢旗薩力巴鄉水泉墓葬出土。
長6.6、寬6.1厘米。
正面刻一人面向左而坐，雙手持觱篥作吹奏狀，左腿抬起在上方震動打節拍。
現藏內蒙古自治區敖漢旗博物館。

雙鳳紋握手

遼

内蒙古奈曼旗遼陳國公主墓出土。

長6.7、寬4.8厘米。

主體紋飾爲二鳳相對。

現藏内蒙古自治區文物考古研究所。

鴻雁琥珀飾

遼

内蒙古奈曼旗遼陳國公主墓出土。

長5.3、寬2.8、高4厘米。

琥珀。腹空，上有荷葉形小金蓋。

現藏内蒙古自治區文物考古研究所。

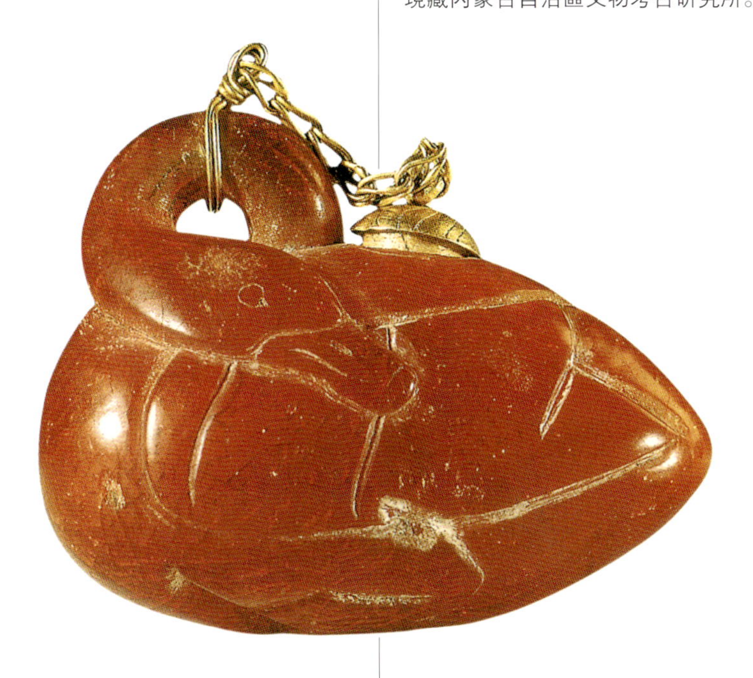

獸形飾

遼
內蒙古巴林右旗白音長汗窖藏出土。
長6.5、寬1.5、高3.8厘米。
以玉料原有褐色巧作鬃毛和尾毛。
現藏內蒙古自治區巴林右旗博物館。

水晶鼠形飾

遼
內蒙古喀喇沁旗宮家營子鄉吉旺營子遼墓出土。
長3.6、寬2.3厘米。
水晶質。鼠蜷臥狀，造型生動。
現藏內蒙古自治區赤峰市博物館。

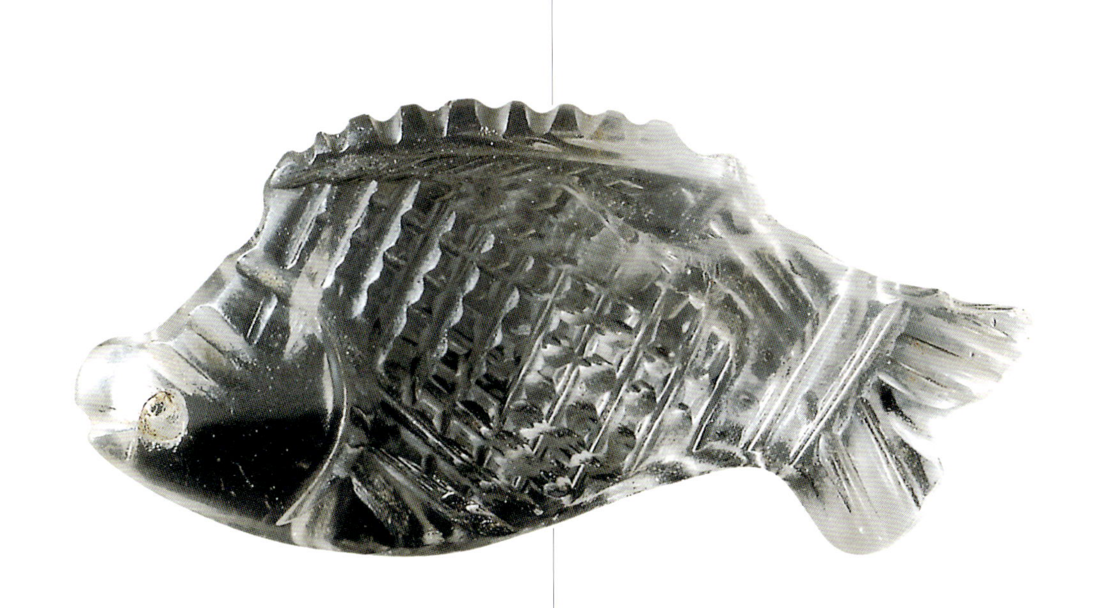

水晶魚形飾

遼
內蒙古喀喇沁旗宮家營子鄉吉旺營子遼墓出土。
長4、寬1.7厘米。
水晶質。魚首、魚鰭和魚尾刻劃逼真，身飾魚鱗。
現藏內蒙古自治區赤峰市博物館。

瑪瑙杯

遼
遼寧法庫縣葉茂臺村7號墓出土。
左高2.6、口徑4.9厘米，右高3.4、口徑5.4厘米。
通體光素無紋。
現藏遼寧省博物館。

雲龍紋杯

遼
遼寧阜新市紅帽子村遼塔地宮出土。
高3.6、口徑6.2厘米。
外腹壁雕細綫雲龍紋飾，雲龍作翻騰狀。
現藏遼寧省博物館。

蓮花紋杯

遼
遼寧阜新市紅帽子村遼塔地宮出土。
高3.8、口徑6.1厘米。
外腹部雕三重蓮花紋，器體薄而透明，
從内側可見外部花紋。
現藏遼寧省博物館。

鹿紋八角杯

遼
高5.8、通耳寬16.6厘米。
鏤雕雙螭耳。
現藏故宮博物院。

瑪瑙花式碗

遼
遼寧阜新市清河門村出土。
高5.3、口徑14.4厘米。
仿瓷碗形制，六瓣花式口。
現藏遼寧省博物館。

金鏈竹節盒

遼

遼寧阜新市塔營子村出土。

高17、寬4.4厘米。

盒呈竹節形，金鏈穿繫，鏈末端連藍琉璃茄形墜。

現藏遼寧省博物館。

“疊勝”琥珀盒

遼

遼寧阜新市紅帽子村遼塔地宮出土。

高9.8、寬5.6厘米。

盒邊緣飾綰彩狀紋飾，盒面書“疊勝”二字。

現藏遼寧省博物館。

雙鵝帶蓋小盒

遼
遼寧阜新市清河門村出土。
高9.3、寬3.8厘米。
盒作双鹅蹲伏状，细线刻羽毛。
現藏遼寧省博物館。

鳥銜花形佩

北宋
陝西西安市雁塔區出土。
長4.2、寬3.8厘米。
玉佩扁平，鏤空單面雕琢。一隻喜鵲口銜一枝梅花展翅飛翔。
現藏陝西省西安市文物保護考古所。

雲雁紋鉈尾

北宋
河北定州市静志寺塔基地宫出土。
長4.7、寬2.1厘米。
質地瑩潤。一端略呈弧形，上飾雲雁紋。
現藏河北省定州市博物館。

人形飾（右圖）

北宋
陝西西安市未央區六村堡鄉徐家寨出土。
高3.4、寬2厘米。
玉人體扁，浮雕而成。頭帶冠，身着交領寬長袍，腰繫帶，雙手叠置胸前，寬袖飄于腹前，雙腿盤坐。
現藏陝西省西安市文物保護考古所。

水晶孔雀形飾

北宋
河北定州市静志寺塔基地宫出土。
左長7、右長6.6厘米。
水晶質。雌雄孔雀均爲四片水晶雕琢編綴而成。
現藏河北省定州市博物館。

水晶魚形飾

北宋
河北定州市静志寺塔基地宫出土。
長8、寬2.5厘米。
水晶質。魚尾上翹，呈游動狀。
現藏河北省定州市博物館。

龜鹿鶴紋牌

北宋
陝西西安市交通大學東側出土。
高6.2、寬5.4厘米。
玉呈立式卵形，底部略平，鏤雕龜、鹿和鶴等紋飾。
現藏陝西省西安市文物保護考古所。

雙鳥紋盒

北宋
河北定州市静志寺塔基地宫出土。
長5.2厘米。
盒上蓋陽面浮雕雙鳳，展翅銜一大花籃，做工細膩。
現藏河北省定州市博物館。

雙鶴銜芝形佩

金

北京房山區長溝峪石椁墓出土。

高6、寬8.2厘米。

以鏤雕加陰刻綫紋製成一對飛鶴。

現藏首都博物館。

折枝花形鎖

金

北京房山區長溝峪石椁墓出土。

直徑7.2–9厘米。

器以鏤空加綫刻製成，兩根折枝八瓣花纏繞交接構成對稱的鎖形。

現藏首都博物館。

花鳥形佩

金

北京豐臺區王佐鄉金代烏古倫窩倫墓出土。

長6厘米。

體扁圓形，鏤雕一隻綬帶鳥立于花叢中。

現藏首都博物館。

竹枝形佩

金

北京房山區長溝峪石椁墓出土。

長6、寬5厘米。

透雕一折斷并盤捲在一起的竹枝。

現藏首都博物館。

龜巢荷葉形佩

金

北京豐臺區王佐鄉金代烏古倫窩倫墓出土。

長10、寬7厘米。

以浮雕、透雕技法琢出荷葉、慈姑和水草紋。

荷葉中心各琢一隻伸頭相向爬行的龜。

現藏首都博物館。

天鵝形佩

金

黑龍江哈爾濱市新香坊墓葬出土。

長3.8、寬2.6厘米。

整體呈三角形，天鵝浮游在蓮花梗上，蓮花含苞待放，向上翹起與天鵝喙下相連，天鵝背上露出一枝蓮葉，兩端斜向與鵝頭及翅羽相連。

現藏黑龍江省博物館。

鳥銜花形佩

金

黑龍江哈爾濱市新香坊墓葬出土。

長7、寬3.7厘米。

通體鏤雕成一口銜折枝花的綬帶鳥。

現藏黑龍江省博物館。

魚形佩

金

黑龍江綏濱縣中興鄉墓葬出土。

高3、長5.7厘米。

鏤雕成口銜折枝蓮荷的鯉魚。

現藏黑龍江省博物館。

花瓣形環

金

北京豐臺區王佐鄉金代烏古倫窩倫墓出土。

直徑4.9厘米。

環做六瓣形，正面起脊，無紋飾。

現藏首都博物館。

孔雀形釵

金

北京房山區長溝峪石椁墓出土。

長6、寬2.2、高3厘米。

器上部雕一長頸、展翅的孔雀，頂有高冠，縮頭彎頸，足下伸一彎曲的尖釵，供插戴。

現藏首都博物館。

荷葉魚形墜（右圖）

金

陝西西安市譚家鄉范家寨出土。

長4、寬2.7厘米。

呈扁方形，正面雕一魚銜水草于荷葉上。

現藏陝西省西安市文物保護考古所。

天鵝形飾

金

長8.7、寬5.3厘米。

雕天鵝銜蘆作飛行狀。

現藏故宮博物院。

折技花飾

金

北京房山區長溝峪石椁墓出土。

殘長7.3、寬6.5厘米。

兩件。折枝花枝繁葉茂，琢磨精緻。

現藏首都博物館。

雙鹿紋牌飾

金

黑龍江綏化縣奧里米古城周圍墓葬出土。

高3.5、底寬3.9厘米。

白色。體呈三角形，透雕雙鹿于樹下。

現藏黑龍江省博物館。

蓮鷺紋爐頂

金

吉林扶餘市風華鄉班德古城出土。

高6厘米。

頂部爲兩枝捲曲的蓮葉，兩旁各有一隻水鳥和蓮花；中部刻蓮枝、蓮葉和蓮花；下部雕四隻鷺鷥。

現藏吉林省博物院。

童子

金

黑龍江綏濱縣中興鄉墓葬出土。

高5.1、寬1.8厘米。

玉童頭戴帽，短衣長褲，一手執荷葉負于肩上，一手下垂。

現藏黑龍江省博物館。

童子

金

黑龍江綏濱縣中興鄉墓葬出土。

高5.8、寬3.4厘米。

玉童梳三丫髻，五官隱起，衣襟敞開，下着褲，左手握拳，右手托海青鶻。

現藏故宫博物院。

仙人山子鈕

金
高9.5、寬7.5厘米。
有大片皮色。圓雕山林景觀，一仙人坐于樹下。
現藏故宫博物院。

荷花冠飾

金
吉林長春市石碑嶺完顔婁室墓出土。
長4.3、寬4厘米。
一對。上方雕一盛開的荷花和蓮蓬，底部刻一花蕾，旁邊雕荷花葉及莖蔓，細部以陰綫刻劃出蓮瓣及葉脉。背平，四角各有一穿孔。
現藏遼寧省旅順博物館。

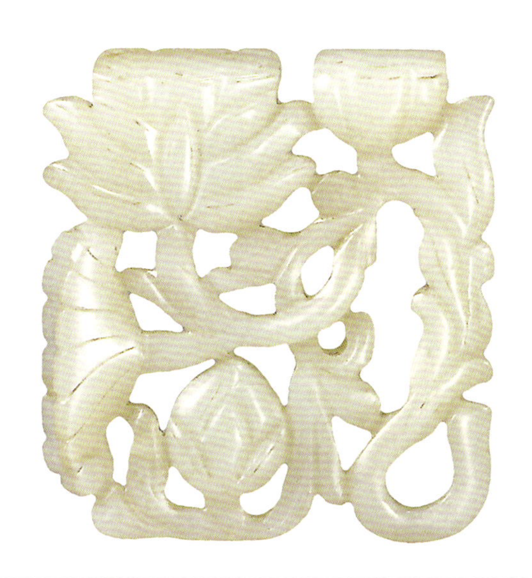

水晶獅形佩

南宋

江西上饒市茶山寺趙仲湮墓出土。

長4.5厘米。

圓雕獅子，伏卧式，頭向左側，平視前方，尾甩于左後腿邊。闊嘴，高鼻，長耳前披。周身陰刻綫細而不亂，腹背有一穿孔。

現藏江西省博物館。

龍首帶鈎

南宋

江西吉水縣金灘鄉南宋張宣義墓出土。

長12、寬2.6厘米。

器體呈“S”形，鈎首作龍首狀。鈎背縱向作三折凹弧面，尾形似琵琶。鈎身下有橢圓形鈎鈕，鈕柱較高。

現藏江西省吉水縣博物館。

龜游荷葉

南宋

四川廣漢市和興鄉聯合村出土。

高3.1、寬5.5厘米。

器近橢圓形，正面內凹，背面平直。整器雕成一片舒展的荷葉，葉上浮雕一龜，昂首擺尾，蹬足作爬行狀，四周刻荷莖及葉脉。

現藏四川省廣漢市文物管理所。

瑪瑙環耳杯

南宋

安徽休寧縣朱晞顔夫婦合葬墓出土。

高2.5、口徑9.8厘米。

器壁極薄，鋬下有環耳，無紋飾。

現藏安徽省博物館。

荷葉形杯

南宋

浙江衢州市王家鄉瓜園村史繩祖墓出土。

高3、口徑9.8–11.5厘米。

整體爲兩隻圓雕荷葉，大葉爲杯身，小葉爲杯把頂飾，葉莖捲曲成環形把。

現藏浙江省衢州市博物館。

碗

南宋

安徽休寧縣朱晞顔夫婦合葬墓出土。

高5.8、口徑10.2厘米。

光素無紋。

現藏安徽省博物館。

獸面紋卣

南宋
安徽休寧縣朱晞顔夫婦合葬墓出土。
高6.4、口徑3.2厘米。
頸部左右兩側琢耳，飾獸首。前後側出扉棱，兩邊飾相對的龍紋。腹部左右兩側雕卧伏回首狀小螭龍。
現藏安徽省博物館。

滑石簋

南宋
江西樟樹市杜師伋墓出土。
高8.2、口徑10.5厘米。
捲折沿，束頸，鼓腹，小圈足微外撇。口沿下刻一周回紋，中腹飾一圈“米”字形花卉及异獸紋。异獸形象誇張，兩角長延，迴曲相連。下腹爲一周三角星條紋。圈足及兩耳的側面刻有三角星條紋。
現藏江西省博物館。

兔形鎮（右圖）

南宋
浙江衢州市王家鄉瓜園村史繩祖墓出土。
長6.7、寬2.6、高3.6厘米。
兔呈卧姿，陰綫飾毛。
現藏浙江省衢州市博物館。

雲龍紋帶扣

宋
高7.9、寬6.7厘米。
兩件爲一副。鏤空雕琢，工藝精湛，
所雕雲龍方向相反。
現藏故宫博物院。

雙鶴銜芝紋佩

宋
長7.5、寬5.7厘米。
通體雕雙鶴立于花叢上，共銜一環。
現藏故宮博物院。

竹枝蟠龍紋佩（右圖）

宋
長7、寬3.3厘米。
鏤雕一龍穿行于竹叢間。
現藏故宮博物院。

凌霄花形佩（上圖）

宋
直徑6.5厘米。
通體雕一枝折枝凌霄花形。
現藏故宮博物院。

魚形佩

宋
高3.5、寬6.5厘米。
魚口銜一荷葉，作游動狀。
現藏故宮博物院。

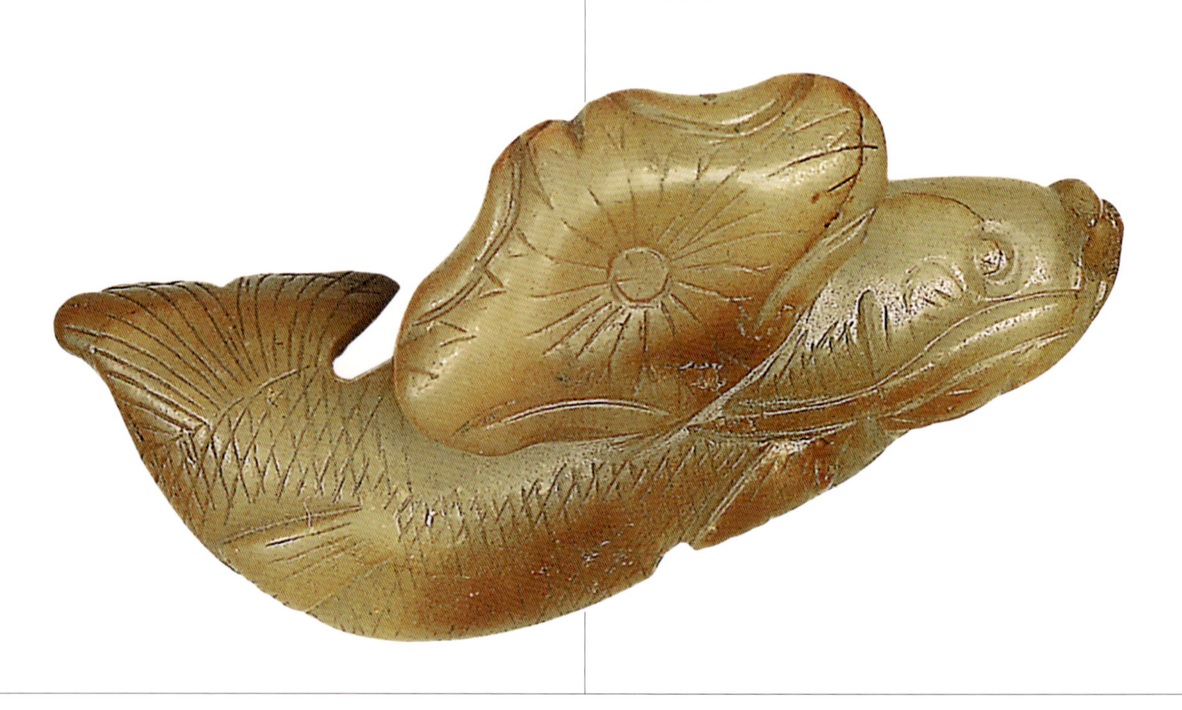

龍紋帶環

宋

長9.1、寬5.2厘米。

通體雕海水雲龍戲珠紋。

現藏故宮博物院。

菩薩頭像

宋

浙江杭州市見仁里村出土。

高29厘米。

菩薩髮髻高束，飾寶相花，面部安祥。

現藏浙江省杭州歷史博物館。

舉蓮童子

宋

高7.2、寬2.8厘米。

童子身穿“米”字紋上衣，下着長褲，雙手舉一盛開的折枝蓮花。

現藏故宮博物院。

神獸

宋

長10.2、寬5.3、高6.5厘米。

圓雕。馬頭，羊鬚，駝峰，鹿蹄。

現藏故宮博物院。

卧鹿

宋

北京海淀區黑舍里氏墓出土。

長10.6、高6.5厘米。

鹿呈卧姿，頭頂靈芝狀角。身體用隱起法表現鹿的肌理。背面平素，身體上下各有三對對鑽的牛鼻穿，用于鑲嵌或綴結。

現藏首都博物館。

人物山子

宋
高14.9厘米。
通體鏤空，作山石、樹木和人物，
代表宋代琢玉水平。
現藏故宮博物院。

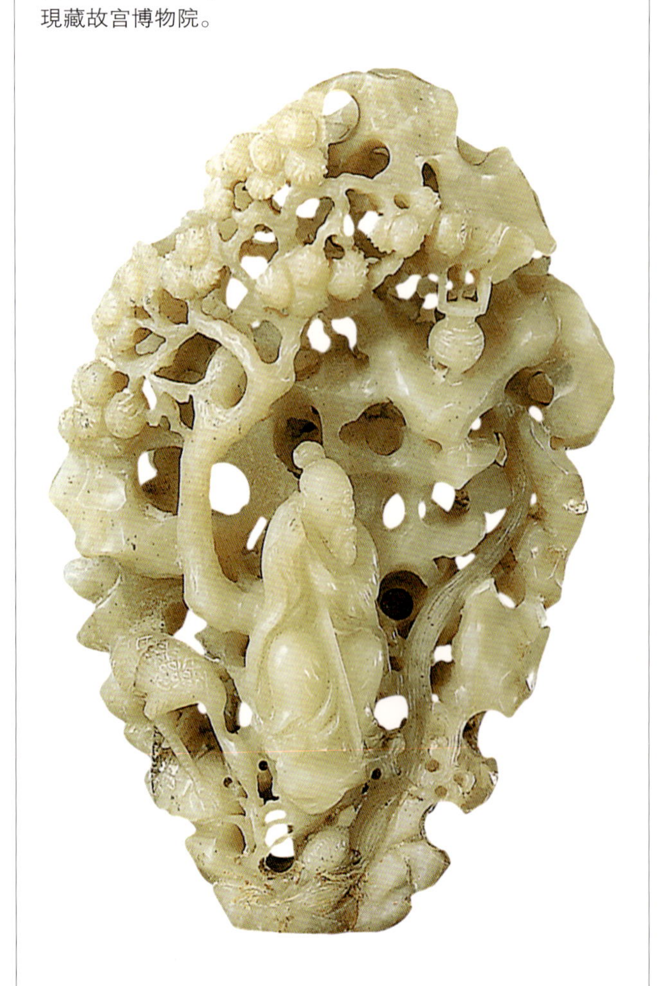

人物山子背面

松下仕女紋飾（上圖）

宋

長9.6、寬7.8厘米。

正面雕松下仕女圖。

現藏故宫博物院。

雙神獸紋飾

宋

長8.1、寬6.8厘米。

正面多層鏤雕，兩隻似鹿翼獸，卧息于雲氣繚繞的樹林中,背面僅留穿孔痕而無紋飾。

現藏故宫博物院。

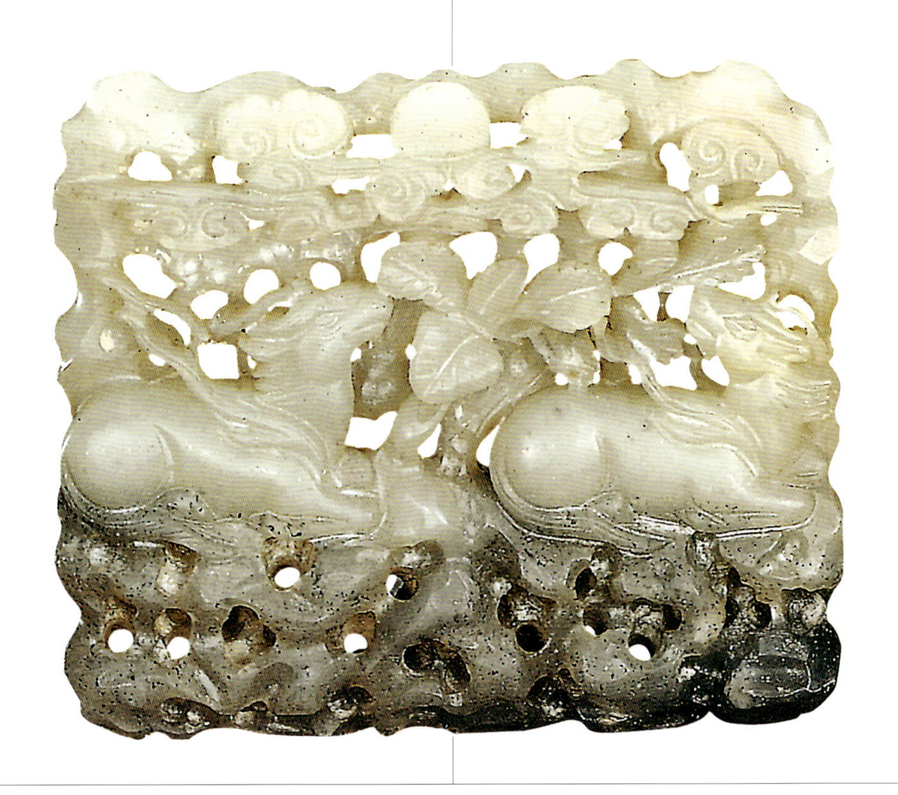

丹鳳朝陽紋飾

宋

直徑6.3厘米。

背面有一環形托，上琢一雙足踏山石的鳳鳥。

現藏故宮博物院。

龍耳杯

宋

高5.8、口徑9.8、足徑5.4厘米。

器圓雕而成，巧用皮色一側凸雕雲龍戲寶珠紋，另一側透雕龍首耳，餘地皆光素。

現藏故宮博物院。

龍柄長方折角杯

宋

柄高5、口徑6-7.7厘米。

長方八折角形，可做筆洗或飲具。

現藏故宮博物院。

龍耳活環杯

宋

高2.9、口徑11.5、底徑6.9厘米。

圓雕，杯體光素。內底中心凸琢一火焰珠紋，器外一側于圓形鋬下套一活環。鋬上有一月牙形板，上飾龍紋和雲紋。

現藏故宮博物院。

金釦瑪瑙碗

宋

安徽來安縣相官鄉宋墓出土。

高5.9、口徑13.2厘米。

光素無紋，口沿鑲一周金飾。

現藏安徽省博物館。

夔龍柄葵花式碗

宋

高7.3、口徑14、足徑7厘米。

體呈六瓣葵花式，雕一夔龍爲柄。外壁飾三角形紋、夔鳳紋、幾何紋和回紋等。

現藏故宮博物院。

瑪瑙帶托葵花式碗

宋

通高9.5、碗口徑15.3厘米。

花瑪瑙。碗爲八瓣葵花式。

現藏故宮博物院。

獸耳雲龍紋簋

宋

高7.9、口徑12.8厘米。

兩面飾獸首銜雲耳，外壁飾三爪雲龍紋，

内底部陰刻清高宗弘曆御題七言詩。

現藏故宮博物院。

鹿紋橢圓洗

宋

高6.4、口徑14.5–10.7厘米。

體呈橢圓形，内底部凸雕十一朵如意頭式雲紋，外雕鹿走河山圖案。

現藏故宫博物院。

鹿紋橢圓洗内底

髮冠

宋
江蘇蘇州市吴中區出土。
冠高6.5、長9.5、寬6厘米。
前後左右各雕重疊的蓮花瓣，左右兩側各鑽一圓孔，供簪插入。
現藏南京博物院。

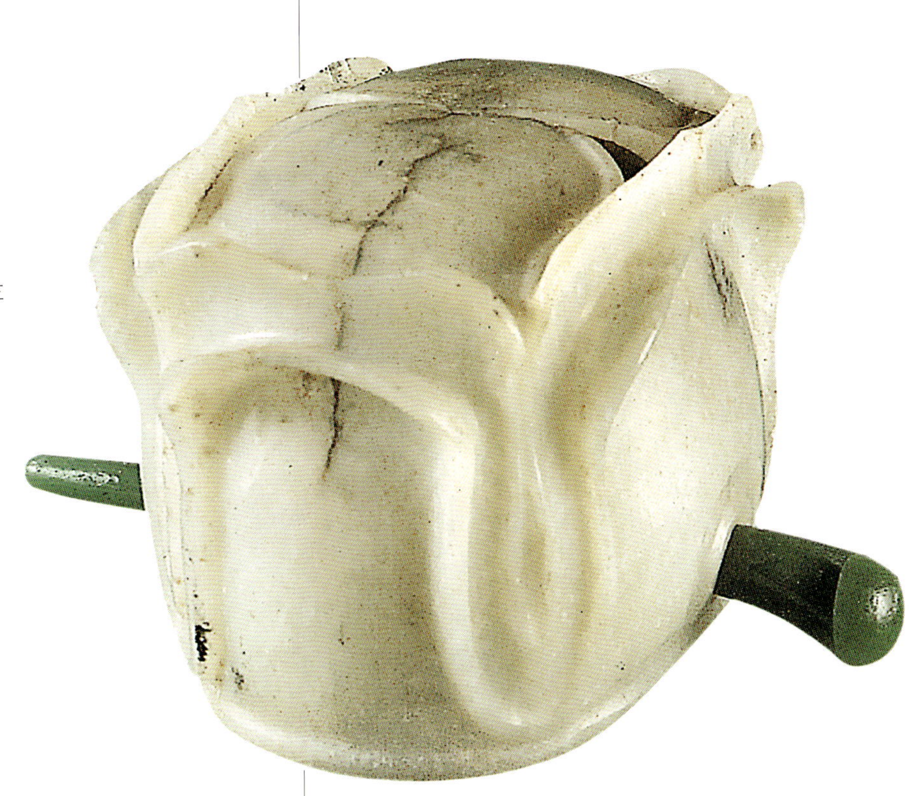

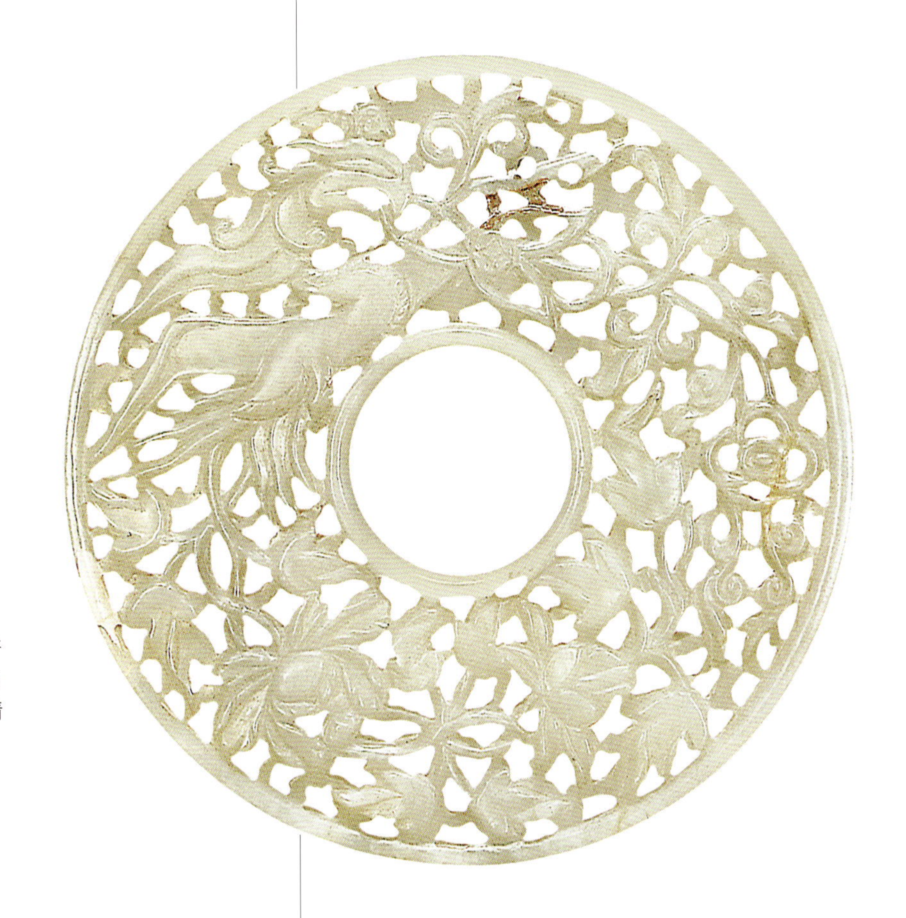

鳳穿花紋璧

元
直徑9.3厘米。
正面鏤雕一展翅飛翔的鳳，并襯以纏枝牡丹，背面平磨。內外緣各有弦紋一周，雕琢精美，風格華麗。
現藏故宮博物院。

龍穿花紋佩

元

長9.7厘米。

正面多層鏤空，雕一長龍穿梭在花叢之中。

現藏故宮博物院。

孔雀形佩（右圖）

元

北京海淀區磚場工地出土。

高5.2、寬2.4厘米。

以圓雕技法琢一翹翅開屏孔雀。孔雀高冠，圓眼尖喙，頭微微側向一邊，雙翅舒展，站立在小臺子上。

現藏首都博物館。

龍紋帶環

元

高5.7、寬7厘米。

鏤雕出龍和火焰紋，精美艷麗。

現藏故宮博物院。

螭紋連環帶扣

元

通長12、寬5.1厘米。

爲一方環連接兩塊方形帶飾，環上琢雕靈芝。一側帶飾中心有一孔，繞孔雕一螭。另一側帶飾雕一螭口銜靈芝。

現藏故宮博物院。

戲獅圖紋帶

元

北京海淀區魏公村出土。

長1.5–9.8、寬4.8–5厘米。

其中長方鉈尾兩塊、桃形六塊、小方形四塊、長方形八塊，均是深雕地子，有邊框。其中十塊浮雕人物戲獅圖案，人物頭頂高帽，身着窄袖短袍，腳蹬半腰靴，伸展雙臂，岔開雙腿，做逗戲獅子動作。獅子姿態各异。

現藏首都博物館。

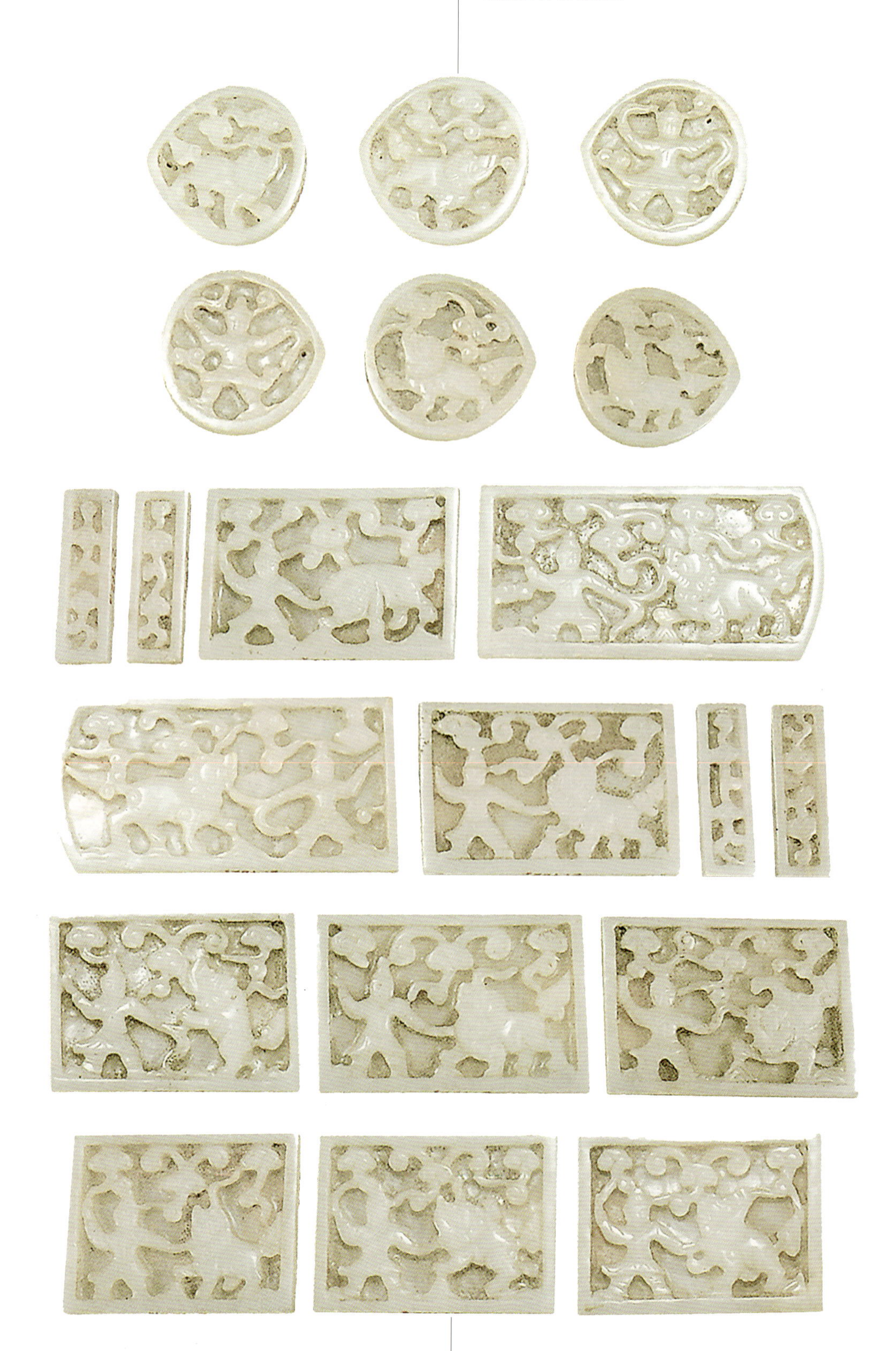

天鵝水草紋帶環鈎

元
江蘇無錫市錫山區錢裕夫婦合葬墓出土。
環長8.3、寬6.7厘米，鈎長7.4、寬2厘米。
環以鏤空技法，正面雕琢“春水”場景，背面以一圓環襯托浮雕的畫面。環的一側附一帶鈎，不僅玉質一致，花紋也完全吻合，應是同時琢磨，與環配套使用。
現藏江蘇省無錫市博物館。

龍紋帶鈎

元
陝西西安市高新區元至正十五年墓出土。
長12.3、寬3、高4厘米。
帶鈎呈琵琶形。鈎頭爲龍首狀，鈎身飾一螭龍，頭下和身側刻雲紋。
現藏陝西省西安市文物保護考古所。

蒼龍教子帶鈎

元

陝西西安市雁塔區小寨南鄉瓦胡同村出土。

長12厘米。

姿態美觀，其意爲蒼龍教子。

現藏陝西省西安市文物保護考古所。

龍首帶環鈎

元

通長10.5、最寬3.8、高2.3厘米。

分鈎、環兩部分。鈎呈琵琶形，鈎首爲龍頭，鈎尾雕荷塘小景圖。環口飾雲紋，尾部雕雲龍紋。

現藏故宫博物院。

水草紋帶鈎

元

江蘇無錫市錫山區錢裕夫婦合葬墓出土。

長7.4、寬2厘米。

帶鈎面上鏤雕草卉紋。

現藏江蘇省無錫市博物館。

嬰戲紋墜（右圖）

元

陝西西安市六村堡出土。

高5.8、寬3.5厘米。

雕成一大一小兩個童子戲玩的場景。

現藏陝西省西安市文物保護考古所。

三牛墜

元

陝西西安市何家村出土。

長4、寬3.5、高2厘米。

三隻牛曲肢并排盤卧。邊旁一牛低首憩息，中間一牛抬頭觀望，另一側卧一小牛依偎在老牛身邊。

現藏陝西省西安市文物保護考古所。

龍鳳牡丹紋鈕

元

高7.5、底徑7厘米。

通體鏤雕一五爪雲龍穿插游戲于盛開的牡丹花叢中。側面陰綫刻一隻鳳凰。

現藏故宮博物院。

蓮托坐龍

元

高12.6、底徑6.4厘米。

圓雕，龍作犬坐狀，身飾火焰紋，胸部高挺突出。

現藏故宮博物院。

舞人飾

元

上海嘉定區法華塔元地宮出土。

高4.7、寬1.8厘米。

圓雕。頭戴高冠，身着圓領長裙，陰刻裙褶。

後頸至脚部有一孔，可佩挂。

現藏上海市文物管理委員會。

獨角獸

元
陝西西安市六村堡出土。
長4、寬1.5、高4.8厘米。
獨角獸挺胸昂首，突目大鼻，張口齜牙。
現藏陝西省西安市文物保護考古所。

五倫圖飾

元
高4.5、寬2.2厘米。
體扁，正面微弧，背部平。以鏤雕加綫刻琢製孔雀、鶴、海東青、雉鷄、鷺鷥各一，形態各异，作互相鳴喚之態，其間綴飾以牡丹和山石。
現藏故宫博物院。

雁形飾

元

陝西西安市何家村出土。

長3-5厘米。

共出土四件。四隻雁姿態各异，或展翅高飛，或滑翔着地，或站立眺望，或回首顧盼。

現藏陝西省西安市文物保護考古所。

善財童子紋飾（右圖）

元

上海松江區西林塔地宫出土。

高7.6、寬5.4厘米。

圓雕。該器以靈芝作層層相叠，枝梗繁密，菌蓋作雲狀環紋。頂部平鋪的菌蓋上跪坐一童子，頭梳髽髻，面相圓潤，上身穿緊身窄袖衫，下着短肥褲，帛帶飄曳，雙手持物于右肩上部。

現藏上海市文物管理委員會。

螭龍穿花紋飾

元

陝西西安市雁塔區田家灣村出土。

橢圓徑7.6–6.1厘米。

橢圓形環上鏤雕串枝花葉，花叢中穿行一螭龍。

現藏陝西省西安市文物保護考古所。

凌霄花紋飾

元
北京海淀區黑舍里氏墓出土。
長12.8、寬7.4厘米。
正面透雕纏結在一起的凌霄花，兩側是盤結的花梗。
現藏首都博物館。

桃形洗

元
江蘇無錫市錫山區錢裕夫婦合葬墓出土。
長11、寬6厘米。
玉洗的形式和材質巧妙地結成一體，造型新异，
枝葉雕刻精細清晰，具有較高的藝術價值。
現藏江蘇省無錫市博物館。

瀆山大玉海

元

高70、口徑135–182、最大周長493厘米。

通體浮雕波濤洶涌的大海，海中有海龍、海馬、海猪、海鹿和海犀等動物。

現藏北京市團城玉瓮亭。

龍紋雙耳活環壺

元

高22.9、口徑6.4–8.2、足徑6.8–9.9厘米。

有綹紋，圓雕。頸部兩面雕雲龍紋，飾雙獸活環耳，肩部飾夔龍紋，腹部回紋錦地上飾重環紋。

現藏故宮博物院。

貫耳蓋瓶（右圖）

元

安徽安慶市范文虎夫婦合葬墓出土。

高7.1、口徑2.7–3.2厘米。

體扁圓，蓋面平，上隱起四如意形雲頭紋。

現藏安徽省博物館。

人形耳禮樂紋杯

元

高7.5、外徑11.4、足徑4.5厘米。

雙耳爲兩個童子做攀壁向杯内看狀，内壁浮雕三十二朵雲紋，外壁淺浮雕兩組禮樂場面。

現藏故宮博物院。

十角雙耳杯

元

高4.6、口徑9.6、足徑5.6厘米。

杯口呈十邊形。局部光亮，大部分有膩子沁。

杯體光素無紋，兩側有半圓形夔式耳。

現藏故宮博物院。

龍首柄杯

元

高4.9、口徑13.9、底徑10厘米。

圓形，龍首雕琢精緻。

現藏故宮博物院。

葵花式杯

元

高5.1、口徑8.5厘米。

杯爲六瓣葵花式，枝葉爲柄。

現藏故宫博物院。

山茶花式杯

元

高3.75、口徑6.4-6.9厘米。

杯爲五瓣花式，蓮花枝爲柄。

現藏故宫博物院。

桑結貝帝師印

元

高8、寬8.7厘米。

回首龍鈕，印文爲八思巴文“桑結貝”，爲元代皇帝所賜。桑結貝爲元代第七任帝師。現藏西藏自治區羅布林卡。

龍鈕押

元

高4、邊長5–5.8厘米。

鈕鏤雕一龍，上有剔地陽文符號。現藏故宮博物院。

垂昪寶石花佩

明

北京昌平區十三陵定陵出土。

通長61厘米。

一對，由玉、水晶、寶石、鐵藍石等質料組成的串飾。

現藏北京市定陵博物館。

雲龍紋佩

明

江西南昌市樂化鄉風嶺村明墓出土。
長6.3、寬5.3厘米。
作菱花形，雙層透雕雲龍紋。
龍張口，長唇，卧蠶眉，彎角，
长鬣向後飄，背有脊，身有鱗，
三爪，翻騰于雲霧中。
現藏江西省博物館。

雙鳳紋佩

明

江蘇無錫市藕塘鄉明墓出土。
高7、寬5.8厘米。
片狀，鏤雕對鳳。
現藏江蘇省無錫市博物館。

雙兔紋佩

明

湖北鍾祥市明梁莊王墓出土。

直徑4.9厘米。

環內透雕出一顆結果的海棠樹，樹頂有如意雲朵襯托的一輪明月，樹下一大一小兩隻兔子。

現藏湖北省文物考古研究所。

魚形佩

明

上海陸氏墓出土。

長6.4、寬2.7厘米。

魚大眼圓睁，菱形鱗，口銜蓮葉，作游動狀。

現藏上海博物館。

蟠龍紋帶環

明

直徑8.6厘米。

體扁圓，通體鏤雕爲一龍，軀體蟠繞成圓環形。

現藏故宫博物院。

龍首帶鈎

明

長12.5、寬2.6、高2.6厘米。

鈎頭爲龍首，鈎身雕一蟠螭與龍首相對。

現藏江蘇省無錫市博物館。

祝壽紋帶

明

北京海淀區北京市商學院工地明代太監墓出土。

長1.5–7、寬2.9厘米。

帶飾正面均以邊框内減地陽起方法飾出“壽”字、桃花和靈芝紋。背面光素，鑽有對穿小孔，部分小孔上殘附細銅絲，可與緙帶連綴。

現藏北京市文物研究所。

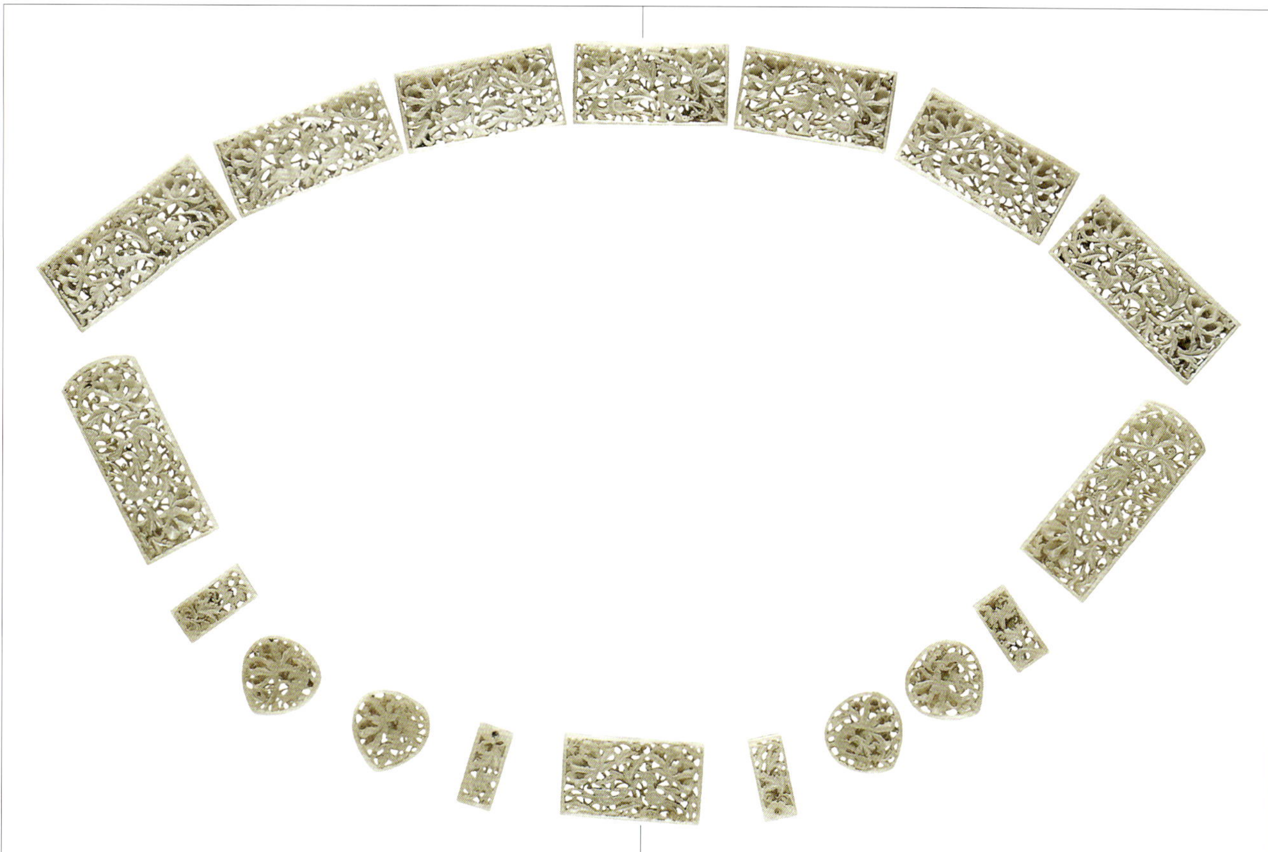

花鳥紋帶

明

甘肅蘭州市上西園彭澤墓出土。

最大長7.8、寬3.3厘米。

共十八塊，每塊上均雕花鳥紋。下圖爲其中四塊。

現藏甘肅省博物館。

龍紋帶

明

江西南城縣明益莊王朱燁墓出土。

最大長7.8、寬4.5厘米。

共十九塊，桃形銙雕游龍，長方形銙雕龍、鳳、蝙蝠和海濤紋，長條形銙雕蝙蝠和如意紋，鉈尾雕龍、鳳和蝙蝠紋。

現藏江西省博物館。

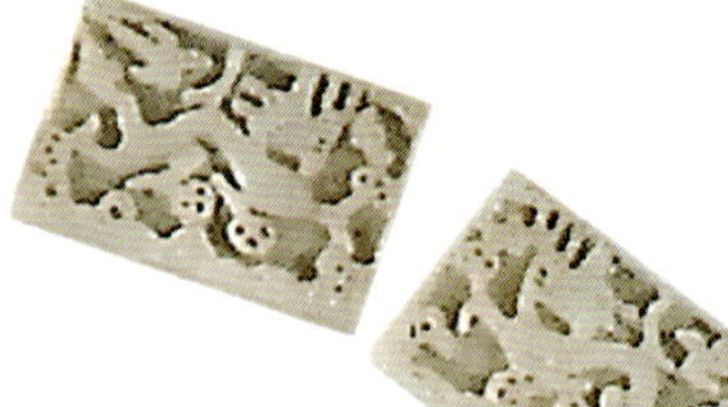
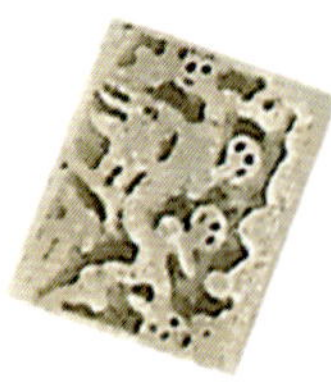

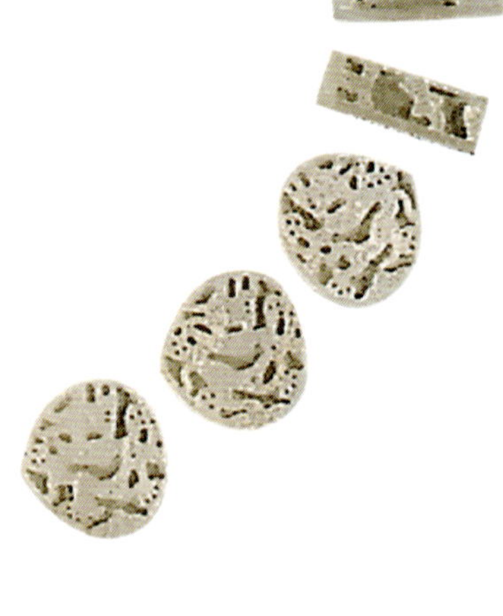
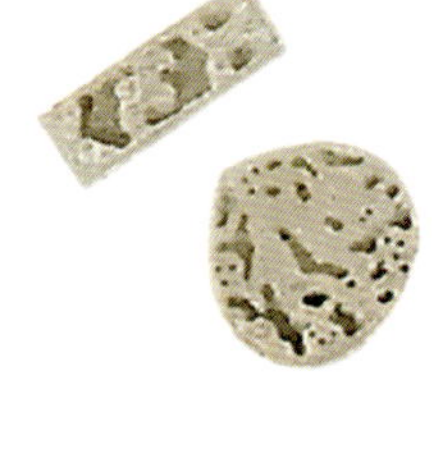
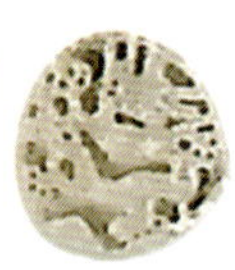

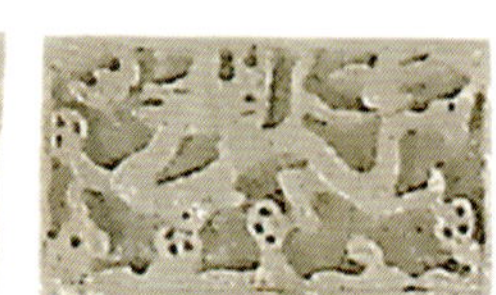

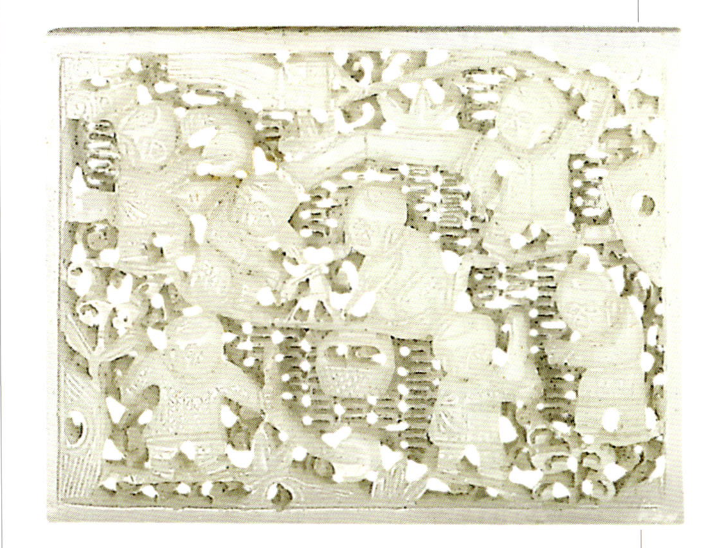

嬰戲紋帶扣和帶銙

明

帶板長7.9、寬5.7厘米。

在鏤空錦地上雕出群嬰嬉戲的場景。

現藏故宮博物院。

龍紋帶扣

明

江蘇南京市中央門外張家窪汪興祖墓出土。

長8.9、寬7.4厘米。

上作葵瓣形，下附一半圓形環。正面雕一游龍。

現藏南京博物院。

龍紋帶扣

明

陝西西安市碑林區南廓門出土。

長6.7、寬6.3厘米。

桃形。方框内紋飾雙層透雕。上層鏤雕一龍盤繞于雲中，下層鏤雕纏枝蔓草紋。

現藏陝西省西安市文物保護考古所。

團龍紋帶扣

明

上海松江區西林塔基地宫出土。

直徑6.7厘米。

團龍鑲嵌在銅鎏金帶扣内。龍張口，上唇尖凸起捲，梳形眉厚實，橋形角似飄帶，龍身以陰綫作脊柱，通體光滑圓潤。

現藏上海市文物管理委員會。

螭紋帶扣

明

陝西西安市蓮湖區土門出土。

長5.9、寬5厘米。

帶扣呈委角長方形，正面凸，背面凹。正面浮雕大小螭龍各一，周圍邊緣陰刻細綫一周。

現藏陝西省西安市文物保護考古所。

螭紋帶扣

明

北京密雲縣清代乾隆皇子墓出土。

長13、扣直徑6.5厘米。

帶扣爲整塊玉套雕而成，分子扣、母扣。正面鏤雕二隻盤螭，繞珠而行。寶珠背面凸起一圓柱爲鈕。方形玉扣上浮雕一獸，并把兩扣相連。

現藏首都博物館。

龍穿花紋帶銙

明

長8.4、寬7.5厘米。

多層鏤雕，一正面龍穿梭于叢葉之中。

現藏故宮博物院。

麒麟紋帶銙

明

陝西西安市雁塔區三爻村出土。

長6、寬4.5厘米。

橢方形，正面周緣減地成窄邊，中部透雕一回首麒麟行走于山石上。

現藏陝西省西安市文物保護考古所。

菱花形龍紋帶銙

明

陝西西安市徵集。

長6.5、寬4.8厘米。

外爲菱花形，内飾龍紋，捲葉紋爲底層。

現藏陝西省西安市文物保護考古所。

龍紋帶銙

明

陝西西安市交通大學出土。

長7.1、寬5.6厘米。

呈正方形。方框内紋飾雙層透雕。上層中部雕一“S”形曲體龍，下層較薄，在上層紋飾的間隙處鏤雕山石紋。

現藏陝西省西安市文物保護考古所。

龍穿花紋帶銙

明

陝西西安市徵集。

邊長6.3厘米。

呈正方形，方框内紋飾雙層透雕。上層中部透雕一龍，下層鏤雕纏枝花草紋，背面四角各有一花葉穿一孔。

現藏陝西省西安市文物保護考古所。

麒麟花卉紋帶銙

明

江西南城縣岳口鄉游家巷明益定王朱由木墓出土。

邊長6.5厘米。

方形，正面雕一麒麟穿行于花叢中。

現藏江西省博物館。

花鳥紋嵌玉金簪

明

湖北鍾祥市明代梁莊王墓出土。

簪長15.8、頭寬6.6厘米。

扁形白玉鑲嵌在金簪頭内，透雕立鳥和牡丹花。

現藏湖北省文物考古研究所。

瓜葉紋嵌玉金簪

明

湖北鍾祥市明代梁莊王墓出土。

簪長16、頭寬6.8厘米。

橢圓形白玉鑲嵌在金簪頭内，透雕出香瓜，

香瓜頂及兩側有花葉。

現藏湖北省文物考古研究所。

雲龍紋嵌玉金帽頂

明
湖北鍾祥市明代梁莊王墓出土。
玉飾高6.3、寬6.6厘米。
橢圓體玉飾鑲嵌在金冠頂頂部，
其上透雕有一穿行在雲中之龍。
現藏湖北省文物考古研究所。

雁形墜

明
陝西西安市徵集。
長5、寬4.2厘米。
以高超的琢玉技藝，表現三隻
鴻雁圍繞荷花戲鬧場面。
現藏陝西省西安市文物保護考古所。

執荷童子

明

上海盧灣區打浦橋明顧氏家族墓出土。

高5.2厘米。

童子右手握襟，左手屈臂向上，掌握蓮梗，蓮葉垂于背後。頭頂正中有孔，出土時繫繩與折扇相連，應爲扇墜。

現藏上海市文物管理委員會。

三童子

明

上海松江區西林塔基地宫出土。

高9.2厘米。

一女童肩扛一童子，身側緊跟一童子，童子手拿一玩具人。三個童子頭飾各有不同。

現藏上海市文物管理委員會。

卧童

明

上海盧灣區打浦橋明顧氏家族墓出土。

長6厘米

作伏卧狀，造型活潑。童子腦後留一撮纓髮。

現藏上海市文物管理委員會。

童子

明

湖北鍾祥市明代梁莊王墓出土。

高5.3、寬3厘米。

圓雕童子執荷梗之狀。

現藏湖北省文物考古研究所。

菩薩

明

高11.5厘米，底長8.1、寬5.2厘米。

菩薩頭戴冠，身着長衣長褲，胸前、腰下飾瓔珞，坐于獸背之上。

現藏故宫博物院。

童子卧馬

明

長6.5、寬3、高4.7厘米。

馬呈卧姿，童子背靠馬身，手抱寶瓶。

現藏故宫博物院。

觀音送子（右圖）

明

高17.2、底寬6厘米。

圓雕一站立觀音，雙手托嬰。

現藏故宫博物院。

麒麟（上圖）

明

長14.3、高9.7厘米。

麒麟凸目圓睜，張口露齒，作站立吼叫狀。

現藏故宫博物院。

卧馬

明

長8.3、寬3.3、高4.5厘米。

馬爲回首卧伏狀，造型準確，雕琢細緻，唯眼部刻劃簡練。

現藏故宫博物院。

狗

明

長7.3、寬2.4、高3厘米。

狗呈伏卧狀，兩爪前伸，回首後視。

現藏故宫博物院。

鴛鴦戲蓮

明

江西南城縣岳口鎮七寶山明益宣王墓出土。

長5.3、寬3.3、高4.2厘米。

鴛鴦昂首縮頸，羽冠上翹，卧于蓮花、蓮蓬及蓮葉中。

現藏江西省博物館。

飛雁穿花紋飾（右圖）

明

陝西西安市徵集。

長6、寬5厘米。

正面雕一隻大雁展翅飛翔于荷花叢中。

現藏陝西省西安市文物保護考古所。

弈棋人物紋飾

明

長18、寬15.7厘米。

正面雕樹下二人對弈，另二人觀看的場景。

現藏天津博物館。

人物紋山形飾

明

浙江安吉縣鄣吴鎮吴麟夫婦墓出土。

長8、寬4.3厘米。

雙層透雕，上層爲童叟人物，纏枝花及閣樓，下層繪十字窗花。應爲鳳冠鑲嵌飾。

現藏浙江省安吉縣博物館。

人物紋葉形飾

明

浙江安吉縣鄣吴鎮吴麟夫婦墓出土。

高5、寬2.5厘米。

一對。雙層透雕，上層雕執花人物，下層爲十字窗花和纏枝花。

現藏浙江省安吉縣博物館。

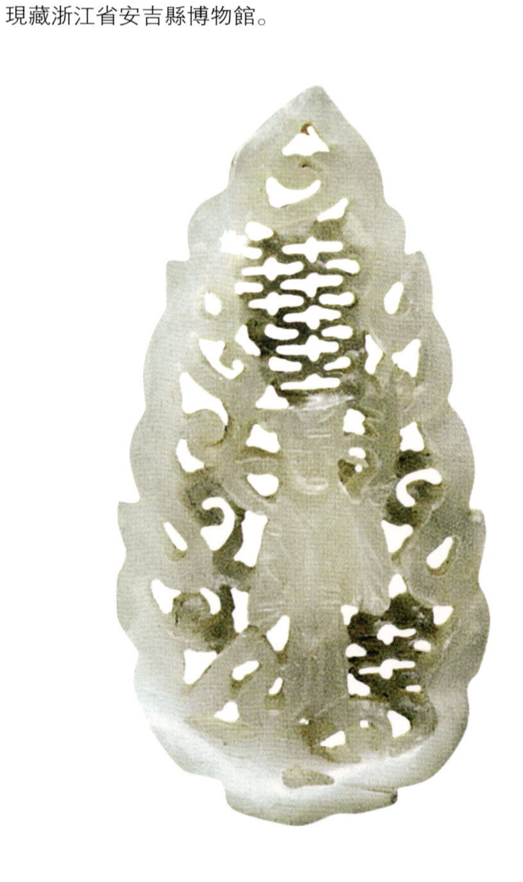

鶻捕鵝形飾

明

湖北鍾祥市明代梁莊王墓出土。

長12.2、寬3.3厘米。

實爲腰帶之鉤，圓雕一飛鵝，一鶻展翅啄鵝狀。

現藏湖北省文物考古研究所。

圭形飾

明

浙江安吉縣鄣吴鎮吴麟夫婦墓出土。

高5.6–5.8、寬1.8厘米。

一對。雙層雕，紋飾一童子置于花叢中，爲鳳冠的嵌飾。

現藏浙江省安吉縣博物館。

螭紋橢圓形飾

明

陝西西安市徵集。

直徑5.5厘米。

雙層透雕。外緣有一周聯珠紋，内有一螭匍匐攀援。

現藏陝西省西安市文物保護考古所。

龍戲牡丹紋飾

明

上海松江區西林塔基地宫出土。

邊長7.8厘米。

方形，透雕牡丹和龍紋，一條降龍昂首揚尾穿插于盛開的牡丹花叢中，主體突出，層次分明。

現藏上海市文物管理委員會。

嵌玉鎏金銀飾

明

上海盧灣區打浦橋明顧氏家族墓出土。

長10.6厘米。

鑲嵌在銀質鎏金框内。由上下兩個六邊形組成。上部呈正六邊形，下部呈菱形六邊。上部内區鑲嵌鏤刻白玉秋山圖，在大松樹下，一隻鹿作駐足回首狀，足下以山石爲底。下部鑲嵌透雕白玉牡丹花紋，一朵牡丹花盛開在上方，周圍葉脉枝梗襯托，畫面布局繁而有序。

現藏上海市文物管理委員會。

金鑲玉蝶

明

上海黄浦區麗園路明朱查卿墓出土。

寬5.1厘米。

翅翼舒張，作飛翔狀。蛹形軀幹，大圓眼，吻部前突，尾部有六條陰刻皮囊綫。羽翼上用陰綫刻出脉絡，翼邊波曲。玉蝶鑲嵌在金托上，長鬚前展。玉蝶前後的邊框嵌着紅寶石。

現藏上海市文物管理委員會。

壽鹿山子（右圖）

明

高14.8、寬9厘米。

鏤雕技法。紋飾寓意長壽、福禄。

現藏故宫博物院。

雙鹿山子

明

安徽靈璧縣高樓鎮窖藏出土。

長15.6、寬7厘米。

圓雕二梅花鹿游栖山野間，山巒起伏，山峰聳立。左前方雌鹿卧姿，中後方雄鹿行于山上，口銜瑞草，左右各雕一朵靈芝。

現藏安徽省靈璧縣文物管理所。

鼎形簍

明

安徽潜山縣彰法山明墓出土。

高4.3厘米。

簍似鼎形，直口平沿，左右肩部雕出鉸鏈一副和鎖等，腹部陽綫琢出席紋，下腹内收，寰底。四角爲四獸爪足，上飾獸首紋。

現藏安徽省潜山縣博物館。

獸面紋銜耳爐

明

高14.7、口徑11.9厘米。

表面玻璃光較强。圓形，直口。口沿外飾一周“山”字形紋，腹部飾三組獸面紋，下承三柱足。雙銜耳，紫檀木蓋，上飾鴛鴦銜蓮鈕。

現藏故宫博物院。

簋式爐

明

高8.8、口徑13.2、足徑9.4厘米。

鈕爲鏤雕穿花龍，雙獸齊耳，頸部陰刻夔龍紋，兩側各凸雕一獸面紋。

現藏故宫博物院。

獸面紋獸耳爐

明

高7.9、口徑8.8、足徑7.1厘米。

簋式，口沿下飾夔龍紋及凸雕獸面。

現藏故宮博物院。

龍紋獸耳簋

明

高10.7、口徑11.7厘米。

口沿下飾龍紋及凸雕獸面。

現藏天津博物館。

八出戟方觚

明

高22.7、口長8.5、寬8.1厘米。

頸與足上部陰刻覆仰蕉葉紋及夔紋，通體上下有垂直的凸戟八道。腹部飾獸面紋。四面紋飾相同。

現藏故宮博物院。

獸面紋觚

明

安徽靈璧縣高樓鎮窖藏出土。

高11、口徑5.6、底徑3.6厘米。

仿青銅觚形，喇叭口，腹鼓凸，足外撇。四角各飾扉棱，觚身陰綫刻出獸面紋，以扉棱爲界，對稱分布。觚底另出一矮圈足，内中空。

現藏安徽省靈璧縣文物管理所。

海棠花式觚

明

高13.1、寬6.6厘米。

體呈海棠花形，中腰處浮雕一蟠螭。

現藏天津博物館。

雲紋蓋瓶

明

北京密雲縣清代乾隆皇子墓出土。

高19、口徑4.5厘米。

瓶直口，鼓肩，束腰，活鈕。通體鏤雕如意雲紋，底部有兩道陽起的弦紋。底平，下有六個微外撇的雲頭作足。瓶內壁光滑。

現藏首都博物館。

螭紋雙環耳扁壺（右圖）

明

高23.3、寬15厘米。

頸部淺浮雕環帶紋，其兩側雕獸首銜環耳，腹部浮雕蟠螭。

現藏天津博物館。

勾連紋匜

明

高14.3、長9.5、寬5.3厘米。

器身扁而規整。器把爲一攀附的蟠螭。外壁自上而下分別飾勾雲紋、勾連紋和覆蓮紋三組紋飾。

現藏浙江省杭州歷史博物館。

雲紋螭耳匜

明

高13.3、寬10.3厘米。

口沿刻雲雷紋，肩和腹底部刻勾雲紋。

一螭爬伏于匜壁作柄。

現藏天津博物館。

龍柄匜

明

高7.8、長5.8、寬3.6厘米。

把鏤雕成變形螭龍形，腹部浮雕一隻鳳鳥，呈行走狀。

現藏故宮博物院。

夔鳳紋尊（右圖）

明

高11.2、口徑6.2厘米。

蓋飾旋渦紋，立雕三隻羊首，腹壁飾雲紋和夔龍紋。

現藏故宮博物院。

龍鳳紋尊

明

北京海淀區黑舍里氏墓出土。

高10.5、口徑6.8厘米。

蓋面弧凸，圓鈕上飾渦紋和綯紋。蓋緣有三隻圓雕卧獸，蓋面陰刻三組牛首紋。杯圓筒狀，平底，下有三獸首狀足。杯身飾一對首首相對的龍鳳紋。杯身一側帶鋬，鋬上飾一象頭，下部減地陽文篆書“子剛”款。

現藏首都博物館。

甪端香熏

明

高17.8、口徑5.6厘米。

甪端頭有雙角，昂首挺立，張口露齒。前足爲龍紋，後足爲鳳紋。前胸飾蟠龍紋和圓點紋，腹部飾勾雲紋。

現藏故宫博物院。

八仙圖執壺

明

高27、口徑6–7.8、足徑6.5–8.2厘米。

橫面扁圓形。蓋頂鈕爲鏤空騎鹿壽星老人。

兩面雕有八仙、花草及山石等圖案。

現藏故宮博物院。

金托執壺

明

北京昌平區十三陵定陵出土。

高26.5、口徑5.3、足徑7厘米。

倒龍首細流，耳形把，蓋頂上圓鈕套活環與把相連，有圈足。腹部桃形開光内刻“壽”字紋。

現藏北京市定陵博物館。

嬰戲紋執壺

明

高12.3、口長6.1、寬3.8厘米。

四方委角形，曲流和弧形柄上飾花果圖案。肩部、腹部及委角開光内飾嬰戲圖及“卍”和“壽”字紋等。蓋鈕爲一立獅。蓋内刻“子剛”二字款。

現藏故宫博物院。

竹節式執壺

明

高12.4、口徑8.5厘米。

壺體成竹節式，壺柄爲雙竹枝盤繞，蓋鈕爲一坐式老者。

現藏故宫博物院。

執壺

明

安徽靈璧縣高樓鎮窖藏出土。

高15.5、口徑6.7、底徑6.8厘米。

器呈罐形，短直頸，圓肩，耳形柄，上出扉棱，有一繫孔。壺身陰綫刻荷塘、荷花及蓮蓬圖案。斗笠形蓋，陰綫刻荷葉和荷花圖案，頂有球形捉手。

現藏安徽省靈璧縣文物管理所。

合巹杯

明

高8.3、口徑5.8厘米。

底部有獸首足，杯體上下各飾一圈紋，一面鏤雕一鳳作杯把，一面凸雕兩隻螭龍作爬行狀。杯體上有多處銘文及款識，其中篆書“子剛製”款表明製器者名。

現藏故宮博物院。

合巹杯

明

高9.9、單口徑4、足徑7.5厘米。

雙筒相連式，口沿飾回紋，腹部飾帶尾的轂紋。雙筒間夾鷹、熊，鷹上熊下。

現藏故宮博物院。

雙螭耳杯

明

北京宣武區右安門外明萬貴墓出土。

高7.7、口徑8厘米。

杯圓形，深腹，圈足。通體光素。兩側鏤雕雙螭，螭首略扁，額頭上有陰刻“王”字，雙爪伏于杯口，似窺視杯中美酒。

現藏首都博物館。

嬰嬉圖杯

明

江蘇南京市太平門外板倉村明墓出土。

高4.5、寬14.4厘米。

杯體呈八邊形，口沿、圈足外側均飾回形紋。杯左右兩側各雕兩個童子和樹杈作爲把手。兩個把手之間亦雕一童子，手持竹籃，回首張望，與其他四童子相呼應。

現藏江蘇省南京市博物館。

嬰嬉圖杯正側面

雙螭耳杯

明

高6.7、口徑7.1、足徑4.9厘米。

圓形，鼓腹，有圈足。兩側有螭耳。

現藏故宫博物院。

九螭杯

明

高7、最大徑9.3-5.2、最大足徑3.3-5.5厘米。

耳鏤雕一螭龍，外壁雕琢八隻形態各异的螭龍。

現藏故宫博物院。

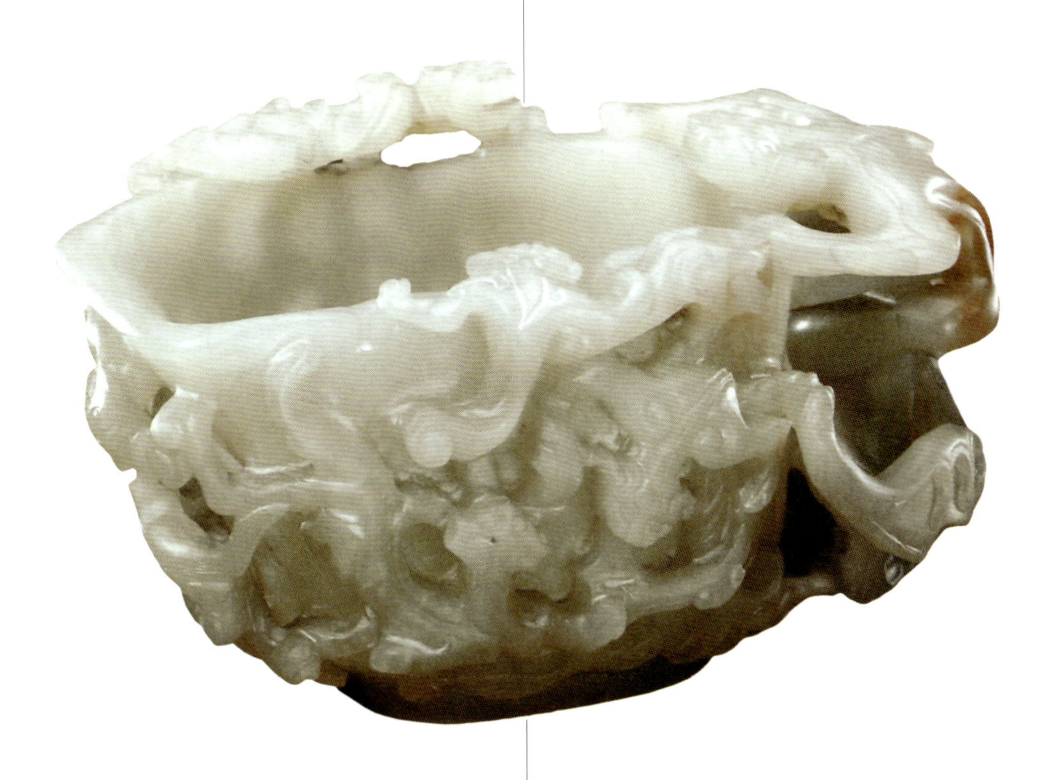

環耳杯

明

高12、口徑10–5.2、足徑4.5–7.1厘米。

頸部飾網格紋，腰際飾六條夔龍紋，腹部飾獸頭及蕉葉紋。一側有一環形耳，下雕一夔龍。另一側飾三條連體夔龍。

現藏故宫博物院。

夔龍紋雙耳杯

明

安徽靈璧縣高樓鎮窖藏出土。

高3.6厘米。

杯體成橢圓形，平口，直壁，弧腹，圈足。腹部飾夔龍紋帶。兩側杯耳面部各陰綫刻一花朵。

現藏安徽省靈璧縣文物管理所。

花耳杯

明

北京昌平區十三陵定陵出土。

通高6.8、杯高5.5、杯口徑5.8、托盤直徑15.9厘米。

鏤雕對稱的花形耳，上嵌紅寶石各一。

現藏北京市定陵博物館。

龍耳象首活環托杯

明

杯高5.4、口徑9.4厘米，托盤高0.8、
長19.8、寬14.1厘米。

杯體兩側各鏤雕一拱體龍爲耳，一面浮雕
一套活環象首。托盤内浮雕兩條舞龍紋。
現藏故宫博物院。

葵花杯

明

山東鄒縣朱檀墓出土。

高3.2、口徑7.3厘米。

花蕊、葉脉雕刻精細入微，造型别致。
現藏山東省博物館。

“鶴鹿同春”人物紋杯

明

高7.5、口徑7.8、足徑4.7厘米。

外壁鏤雕松鶴人物通景場面三組。第一組三位老人于松樹下觀賞一畫軸；第二組一老人傍立一童子，二老人對弈而坐；第三組桃樹下，一老人似摘桃子。

現藏故宫博物院。

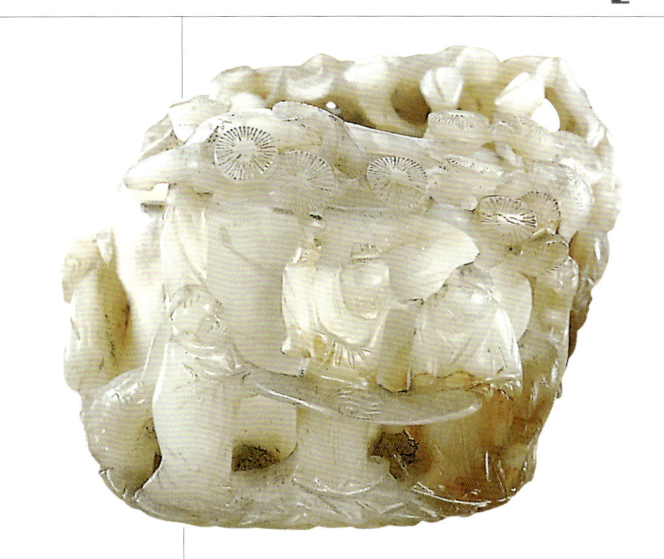

“鶴鹿同春”人物紋杯場景之一

“鶴鹿同春”人物紋杯場景之二

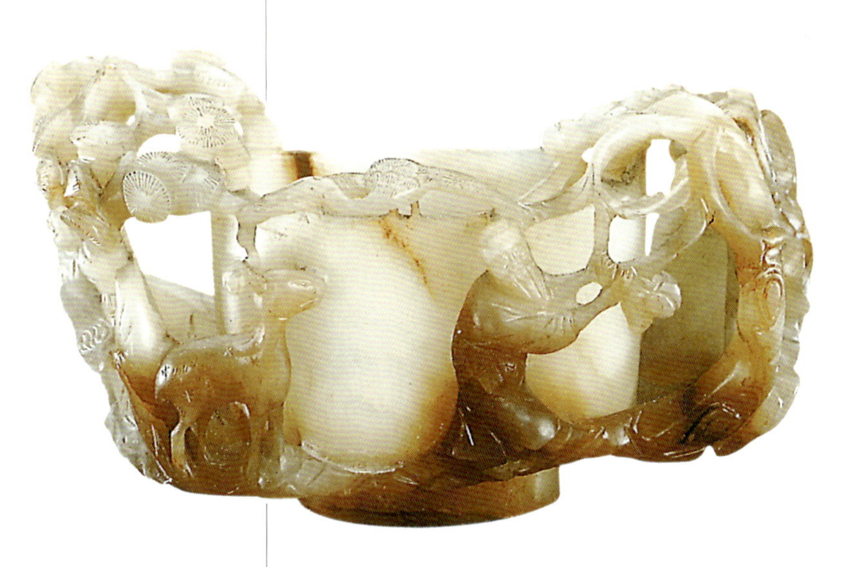

“鶴鹿同春”人物紋杯場景之三

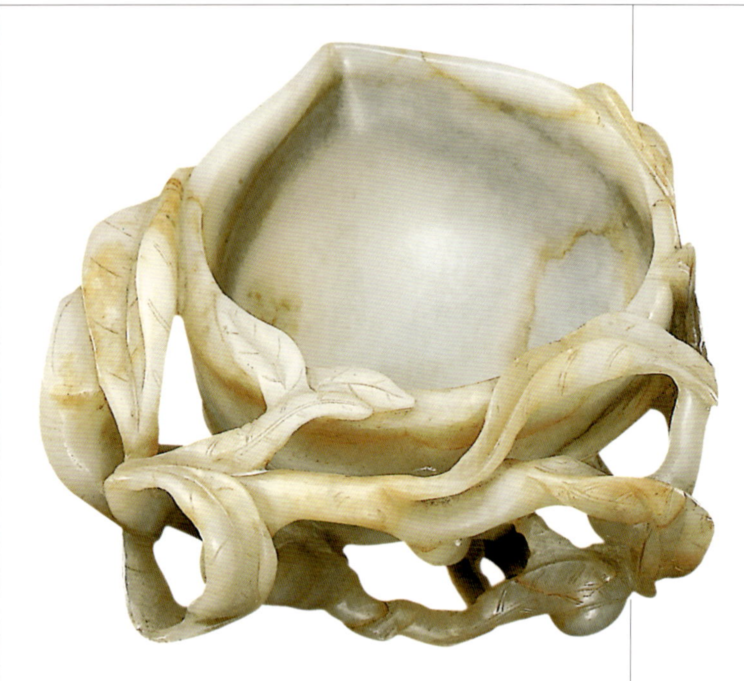

桃式杯

明

高6.1、口徑9.5–10.3厘米。

杯的造型爲桃形，鏤雕枝葉爲柄，部分枝葉纏繞于杯身并作圈足，底篆書“子剛製”款。

現藏故宫博物院。

竹筒形杯

明

高15、寬10.5厘米。

體呈三竹節式，一側雕折枝梅花爲柄，一側雕一螭虎爬于杯壁。

現藏故宫博物院。

爵杯

明

北京昌平區十三陵定陵出土。

通高14.5、托盤高1.5、直徑19.7厘米。

杯作仿古青銅爵。雕一螭虎爬于杯壁。

現藏北京市定陵博物館。

雙螭耳杯

明
高10、寬15.6厘米。
杯爲橢圓形，腹部與口部分别浮雕和鏤雕四螭，其中二螭爲杯耳。
現藏天津博物館。

人形柄琥珀杯

明
江蘇南京市江寧區沐叡墓出土。
高4.8、長13.6厘米。
杯身雕成荷葉形，四周雕刻荷梗和水草。
杯柄爲一圓雕，雕一人攀于杯壁。
現藏江蘇省南京市江寧區博物館。

金蓋碗

明

北京昌平區十三陵定陵出土。

通高15、金蓋高8.5、金托盤直徑20.3厘米。

器由玉碗、金碗蓋和金托盤組成。

現藏北京市定陵博物館。

“壽”字花卉紋碗

明

高6.7、口徑14.5、足徑6.7厘米。

内壁光素無紋，底刻“壽”字紋。外壁淺浮雕加陰刻牡丹、菊花等四朵連枝花。

現藏故宫博物院。

花鳥紋碗

明

高7.1、口徑13.9、足徑6.2厘米。

外壁陰刻花鳥紋。

現藏故宮博物院。

硯滴

明

北京海淀區黑舍里氏墓出土。

高12.7、口徑4.4厘米

肩部雕獸面，刻六隻飛鶴，腹部飾四尾游魚，底有三渦狀足。

現藏首都博物館。

荷葉洗

明

高8.5、寬17.6厘米。

洗呈荷葉形，内底雕一蛙。

現藏故宮博物院。

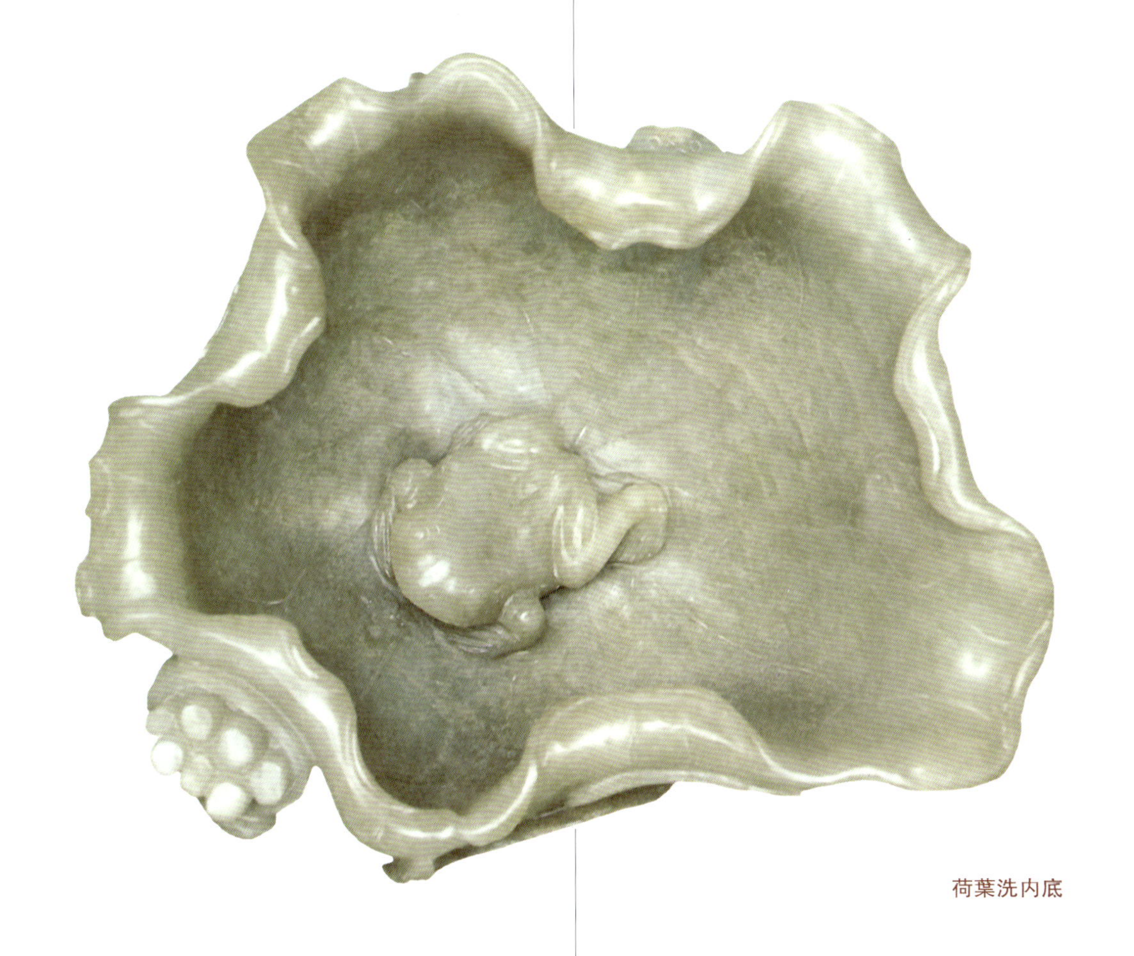

荷葉洗内底

龍魚式花插

明

高15.6厘米。

器爲圓雕，龍首魚身，構思巧妙，神態生動。

現藏臺北故宫博物院。

水晶梅花紋花插

明

高11.4、口徑4.2、足徑3.8厘米。

局部表面留有白色物質，琢成盛開的梅花。

現藏故宫博物院。

靈芝式花插（右圖）

明

高24、長10、寬9厘米。

圓筒狀。上半部爲一靈芝形花杯，杯外浮雕靈芝四朵，水仙花兩株，下半部雕竹節及靈芝枝葉。

現藏故宮博物院。

螭紋筆

明

長23.7、管徑1.6、帽徑2厘米。

筆管、筆帽外壁均以淺浮雕技法琢一螭，端部則以圓玉片封孔。

現藏故宮博物院。

磬佩

明

長20.4、寬20.1厘米。

扁平，一面爲“福禄壽”三星及童子，一面浮雕二龍戲珠。

現藏故宫博物院。

磬佩另一面

九螭紋璧

清

直徑20厘米。

璧兩面雕八螭，每面四隻，圍繞中心圓孔，一螭從圓孔中心穿過，合爲九螭。

現藏天津博物館。

九螭紋璧另一面

《圭瑁說》圭

清

長41.2、最寬10.6厘米。

正面中間爲陰刻楷書填金朱珪敬書的《御製圭瑁說》文計四百六十六字。

現藏故宮博物院。

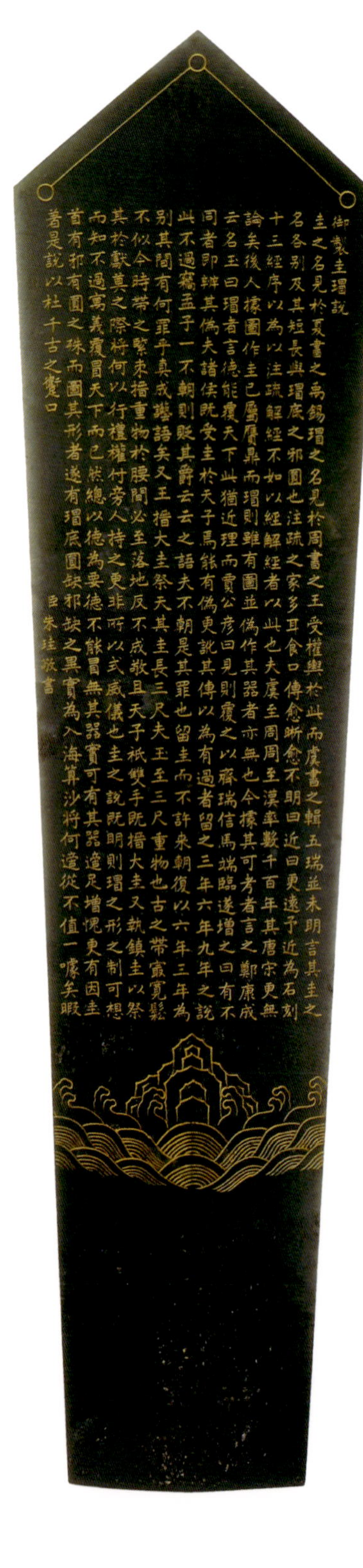

《圭瑁說》圭背面

雙龍佩

清
長7.9、寬5.9厘米。
雕二龍對頂，龍頭在佩的中部，左右錯開。
現藏故宮博物院。

龍鳳紋佩

清
北京豐臺區出土。
長6.5、寬4.1厘米。
玉佩巧妙運用鏤雕、圓雕、陰刻等琢玉技法將一龍一鳳以“S”形對拼成爲長方形佩飾。
現藏北京市文物研究所。

雙鳳紋佩

清

高7.1、寬3.9厘米。

中部雕一橢圓形飾，其上細陰綫雕對稱雲紋，兩側各鏤雕一鳳。

現藏故宫博物院。

龍鳳紋斧形佩

清

長13.2、寬5.7厘米。

長方片狀。頂部鏤雕一拱身蹲龍，中部孔内鏤雕一夔鳳紋，兩側鏤琢回首爬行螭紋。

現藏故宫博物院。

雲紋韘形佩

清

北京海淀區黑舍里氏墓出土。

長8、寬5.7厘米。

鏤雕流雲紋，係仿漢代鷄心佩的形制。

現藏首都博物館。

螭紋韘形佩

清

陝西西安市何家村出土。

直徑5、孔徑1.8厘米。

佩近圓形，中有孔，面雕一對螭龍，周圍雲霧繚繞。

現藏陝西省西安市文物保護考古所。

雕花三套連環佩

清

長13.4、最大徑7.3厘米。

三套環式。大環透琢柿枝、柿葉、柿子及花朵。中環鏤雕成百合花葉式。小環雕數個如意頭形靈芝，并有小孔可穿繫。此佩構思精巧，琢磨技術高超。

現藏故宮博物院。

月令組佩

清

直徑11.3厘米，花瓣形佩長6.4、寬5.5厘米。

圓形玉，十三塊玉件組成，中間圓形佩圓心琢六環式活心，周邊有十二凸榫，可榫合花瓣形，花瓣數與十二月令相應。

現藏故宮博物院。

佛手形佩

清

河北南皮縣張之洞舊宅出土。

高12、寬8厘米。

圓雕一大兩小三個佛手。正面在茂盛的枝葉中長出一個大佛手，宛如雙手相向半握。大佛手的一側和背面枝葉下還各生長着一個小佛手。

現藏河北省文物保護中心。

四蝠捧璧佩

清

長6.4、寬4.5厘米。

器兩面均雕有相同的獸面紋和勾雲紋，四角鏤雕四隻蝙蝠。

現藏故宮博物院。

獸面合璧連環

清

直徑8厘米。

器爲雙合連環式，環外淺浮雕，陰刻技法琢製四個獸面。

現藏故宮博物院。

龍首螭紋帶鈎環

清

鈎長10、環長5.8厘米。

帶鈎爲龍首，與鈎腹凸雕螭二首相對，鈎背面爲一橢圓形鈕。環體則形如蓮花。

現藏故宮博物院。

比翼同心合符

清

長14、寬9.7厘米。

片狀，由兩件鷄心式佩組成，內側分别琢長條凸榫和凹槽，可搭配組合。

現藏故宫博物院。

鴛鴦紋帶鈎

清

陝西西安市徵集。

長8、寬4.1厘米。

帶鈎呈橢圓形，雕琢成一對在湖面戲水的鴛鴦。背面爲水面露出的荷葉與龍首，龍首作鈎，蓮蓬作扣，蓮蓬上浮雕"太極"紋。

現藏陝西省西安市文物保護考古所。

鴛鴦紋帶鈎鈎面

童子（右圖）

清

陝西西安市雁塔區三爻村出土。

高3.8、寬2.9厘米。

童子身體肥胖，穿窄袖圓領袍，曲腿，側首仰視，雙手持一蓮莖，莖上端寬大的蓮花和葉子搭在背上。

現藏陝西省西安市文物保護考古所。

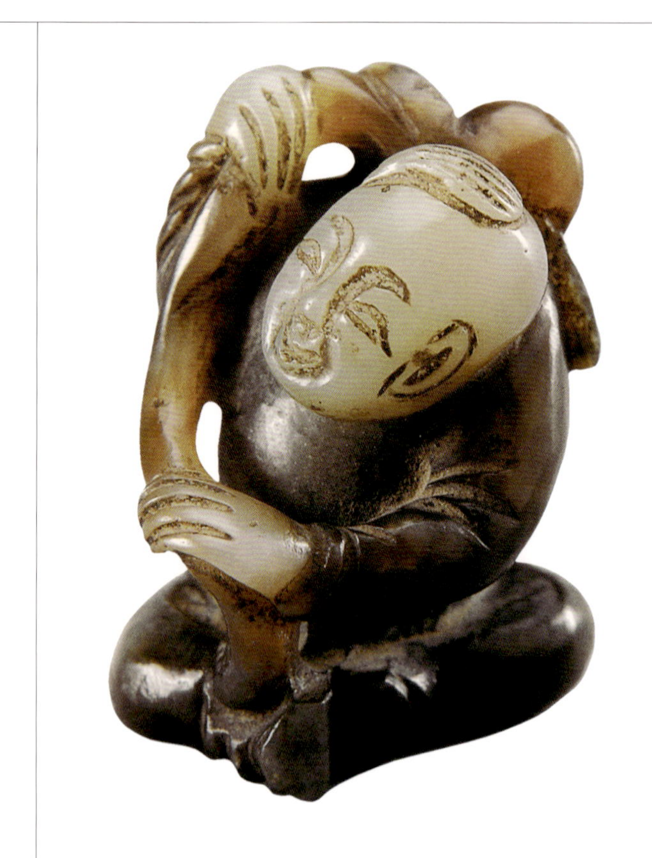

青金石牧童騎牛

清

長6.5、寬5.3、高4.4厘米。

牛呈卧姿，牧童頭梳雙髻，一手執撥浪鼓，攀于牛背。

現藏故宮博物院。

雙童洗象

清

高20.4厘米。

圓雕而成，象背雕有一立一趴兩童子，爲大象冲水刷洗。

現藏故宫博物院。

嬰戲

清

長12.7、寬4、高6.6厘米。

雕兩排兒童共十一人，手執不同玩具和樂器玩耍。

現藏故宮博物院。

番人戲象

清

高6.8厘米。

圓雕一回首觀望的立象，象耳自然下垂，象背雕有氈毯，其上綫刻海水雲氣紋。一人于象背上雙手持棍，象側立一人，手捧花瓶，兩人均爲番人特點，鬈髮高鼻。此造型寓意“太平有象”。

現藏遼寧省旅順博物館。

佛

清

高13.6、底寬8.3厘米。

佛身着長寬衣，肩披巾，胸飾瓔珞，雙手相搭，盤膝静坐。

現藏故宫博物院。

羅漢

清

高18、寬7.3厘米。

羅漢身着僧衣，脚穿方頭鞋，右手下垂，左手執一束萬年青，舉于胸前。

現藏故宫博物院。

觀音

清

高28.8、寬10.7厘米。

觀音梳高髻，戴華冠，着長衣，胸飾瓔珞，右手搭于左手手背，左手執念珠，赤足站立。

現藏故宫博物院。

蕉葉仙姑

清

高13.2、寬5.2厘米。

仙姑正面直立，高髻，飄帶垂肩，右手執如意，左手持杯，侍者雙手捧一執壺。

現藏浙江省杭州歷史博物館。

道士頭像

清

北京海淀區圓明園長春園含經堂遺址出土。

殘高7.6厘米。

人物臉部豐滿，神情端莊祥和。

現藏北京文物研究所。

角端

清

高21.2、長20、口徑5.5-6.7厘米。

一對。立體圓雕，獨角立獸形，頭部可取下，背中深挖一橢圓洞，可貯香料。現藏故宮博物院。

海馬負書

清

高9.7、長13.3、底寬4.3厘米。

采用凸雕、透雕及陰刻等技法琢製海馬負書之形。

現藏故宮博物院。

辟邪

清

長16、寬6.1、高9.5厘米。

三獸組合造型。大獸短頸大頭，長耳獨角，胸前伏一小獸，身側卧一小獸。

現藏故宮博物院。

三羊開泰

清

高7.7、寬13.4厘米。

一大兩小三隻羊，三羊均呈卧姿，兩小羊依偎在大羊身側。

現藏天津博物館。

麒麟獻瑞

清

長14.6、寬8.5、高6.9厘米。

以圓雕、透雕技法琢製一口銜靈芝麒麟，其側畔卧一鳥，身下飾雲紋。

現藏故宮博物院。

卧牛

清

長15.1、寬7.7、高6.6厘米。

立體圓雕，昂首伏卧狀。頭、角及臀部一側爲深黄色，恰似朝陽映照。

現藏故宫博物院。

三鵝戲蓮

清

長13.4、寬11.1厘米。

構圖清新，以寫實的手法雕繪江南水鄉的自然風光。三鵝戲游于蓮塘。

現藏浙江省杭州歷史博物館。

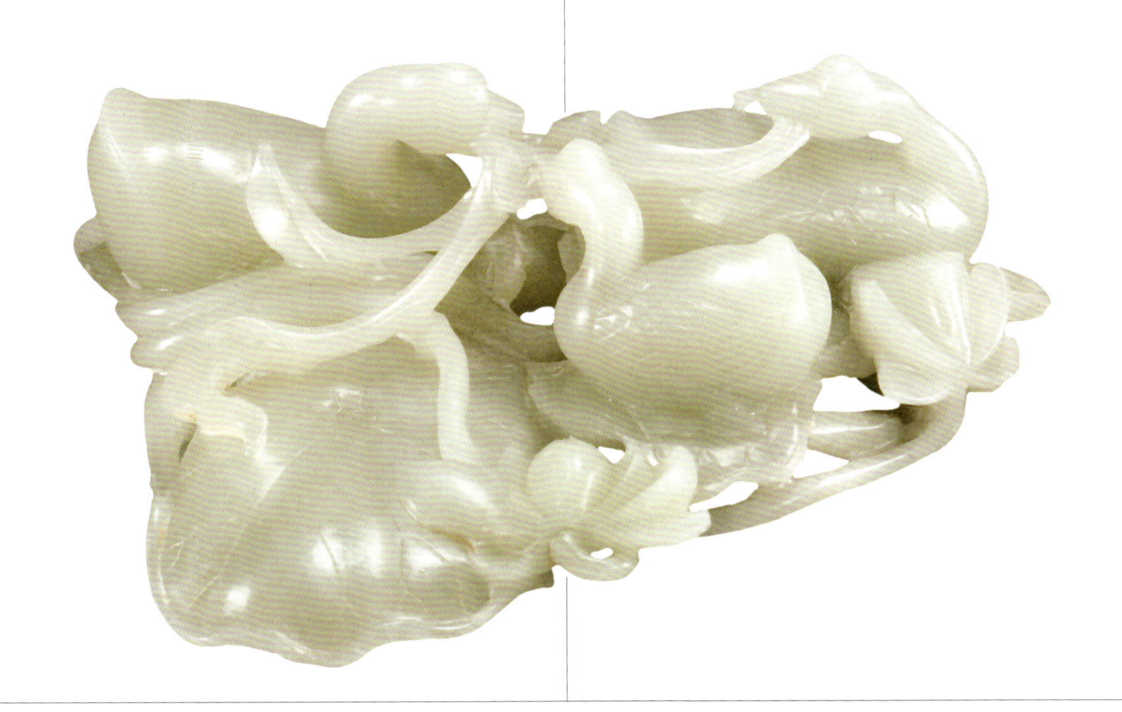

十二生肖

清

高3.1–3.4厘米。

圓雕坐姿各异的獸頭人身十二屬相。

雕工細膩，形象生動。

現藏故宮博物院。

大禹治水圖山子

清

玉山高224、寬96厘米。

立體圓雕。依玉料之形琢製成氣勢雄偉高大的玉山。玉山正、背面及下方有多處刻字。此器爲迄今世界上最大的玉雕藝術品。

現藏故宫博物院。

會昌九老圖山子

清

高114.5、最寬90厘米。

立體圓雕，仙山形，運用透雕和平雕等技法。

現藏故宮博物院。

秋山行旅圖山子

清

高130、底寬70、銅座高25厘米。
玉山爲立雕的聳立狀高山，一條羊腸小道自山脚蜿蜒至山頂，其間雕幾座小橋，路上和橋上有行人數個，或步行，或騎驢。
現藏故宫博物院。

觀瀑圖山子

清

高14.5、寬19厘米。

整體雕山形，一條小路直通山頂石亭，二老者行走其間，觀賞山間瀑布。

現藏故宮博物院。

觀瀑圖山子背面

人物山水圖山子

清

高16.1、寬24.7厘米。

一面利用所帶的天然翠皮色，琢成山石、流水、松樹、飛鶴和雙鹿等。另一面則按翠色的深淺雕成山亭、松樹和流水，并琢製二老一童，寓鶴鹿同春之意。

現藏故宮博物院。

桐蔭仕女圖飾

清

長25、寬10.8、高15.5厘米。

玉飾巧用俏色雕桐陰仕女圖，器底有乾隆題款。

現藏故宮博物院。

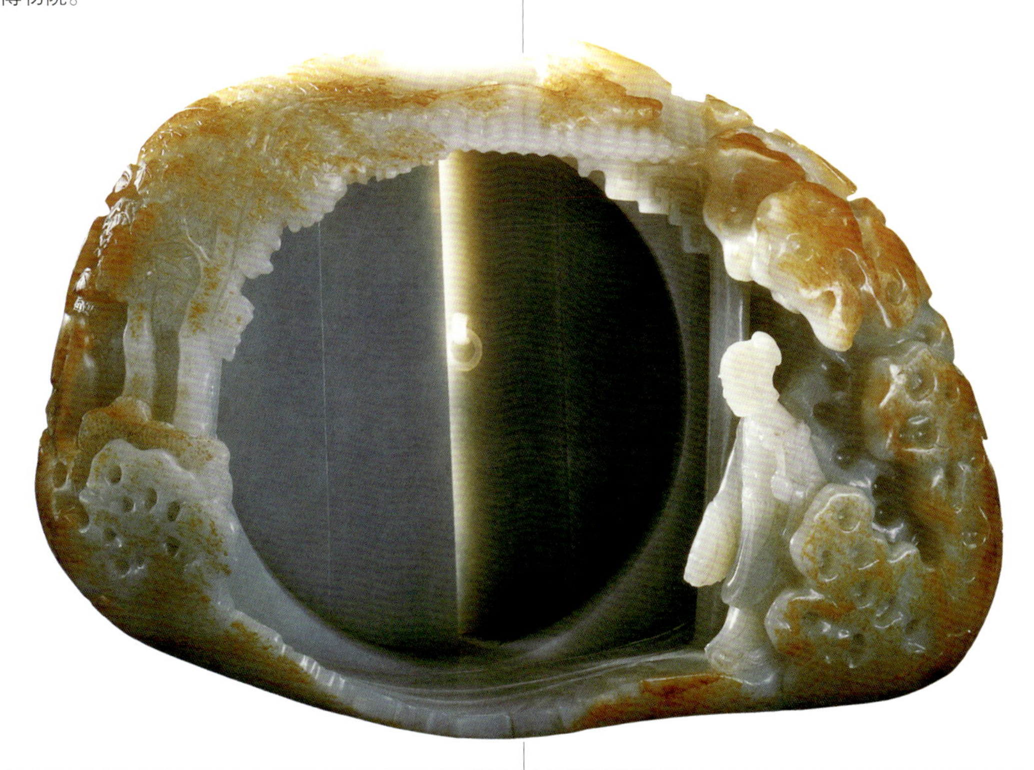

漁船

清

長22.5、寬4.3、高6.7厘米。

船兩側雕八隻魚鷹。蓬頂妙留玉皮，色澤天然。整體造型生動傳神。

現藏故宮博物院。

游船

清

長18.7、寬7.2、高8.5厘米。

大小兩船組成，大船上飾三人，小船上飾一人，兩船下均飾水波紋。

現藏故宮博物院。

鳳柄執壺

清

高22.1、口徑4.8–5.8、足徑4.5–5.4厘米。
鏤雕雲頭式蓋頂，并套兩活環。腹部開光內飾牡丹、山石和靈芝紋等。鏤雕一鳳爲柄。
現藏故宫博物院。

葫蘆形執壺

清

高20厘米。

束腰葫蘆形，蓋上飾半圓形鈕，鈕上套一活環。頸部及腹部飾葫蘆的藤葉。柄爲夔形勾雲紋。

現藏故宮博物院。

花蝶紋執壺

清

高12.1、口徑5.6、足徑5.1厘米。

花蕾式鈕，環鈕飾八蓮瓣。壺腹上下各有一周雲帶靈芝紋。雙首夔龍柄，夔首各有一團"壽"字。

現藏故宮博物院。

鳩紋執壺

清

高11.7、長16、寬3.5厘米。

腹部處理成鳥身狀，肩、腹分別立雕、高浮雕一隻鳩鳥。兩側中部凸雕勾雲紋。

現藏故宮博物院。

四環耳壺

清

高29.5、口徑4.5–7.8、
足徑4.6–7.5厘米。
橫割面扁圓形。蓋頂上淺雕夔體
夔龍紋四組，蓋面飾渦紋六個。
現藏故宮博物院。

獸耳活環壺

清

高27.9、口徑7.2、足徑8.4厘米。

壺蓋頂飾外翻式花瓣，壺頸部仰雕六出蕉葉紋，內飾雙魚紋。

現藏故宮博物院。

夔耳活環壺

清

高11.6、口徑4.4–5.9、足徑4.6–5.9厘米。

通體滿飾方棱形錦紋地，頸部浮起蕉葉紋。

現藏故宮博物院。

雙耳活環壺

清

高24、口徑7.8、足徑8厘米。

蓋上爲減地四獸面，器身飾獸面及蕉葉紋，足中央有“大清乾隆仿古”六字隸書。

現藏故宮博物院。

异獸壺

清

高16.7厘米。

整玉琢製，深膛。上部雕一怪獸，獸口通膛，腹壁雕三隻蟠龍。

現藏故宮博物院。

象首足壺

清

高21、口徑6.9–9.8、底徑3.2–7厘米。

橢圓形，呈象首倒置狀，紋飾仿古，造型別致。

現藏故宮博物院。

龍柄執壺

清

高10.4、長17.2、寬10.5厘米。

壺蓋上飾棱瓣形鈕，壺身飾雙身龍紋，身側飾龍形柄。壺底陰刻隸書“道光御用”四字。

現藏故宮博物院。

描金獸面紋貫耳蓋瓶（右圖）

清

高31.7厘米。

扁圓體，半球形蓋，桃形鈕，子母扣。通體雕刻細密紋飾，蓋鈕飾葉瓣紋，蓋面飾覆蓮瓣紋，頸部以三條回紋帶間隔紋飾，上部覆蓮瓣紋，下部鈎葉紋，腹部飾獸面紋，腹部隱起仰蓮瓣紋，邊緣處均飾回紋帶裝飾，輪廓綫均描金。

現藏遼寧省旅順博物館。

花葉紋梅瓶

清

高26、口徑6.2、足徑8.9厘米。

瓶外壁飾纏枝蓮花紋，大花大葉。

現藏故宮博物院。

獸面紋雙耳瓶

清

高23.3、寬7.5厘米。

瓶口橢圓形，有蓋，蓋面光素無紋，平頂，頂上鏤雕一几，几上伏一小獸。瓶身飾獸面紋，雙耳帶環。

現藏故宮博物院。

獸耳活環瓶

清

高25.5厘米。

扁形，橢圓形蓋，蓋外飾雷紋一周和雙身龍紋。球形蓋鈕，鈕外雕四垂雲，頸兩側圓雕獸形耳，耳上套活環。

現藏故宮博物院。

菊瓣紋活環耳瓶

清

高30、口徑6.5–8.6、足徑5.7–8.5厘米。

瓶體通飾菊瓣紋，有雙耳，其中一耳套活環。

現藏故宮博物院。

山水圖獸耳瓶

清

高31.2厘米。

横截面爲海棠式，蓋稍尖，蓋頂雕連珠及錦帶紋。開光内飾山水圖。

現藏故宮博物院。

瓜棱紋蜻蜓耳活環蓋瓶

清

高23.7、口徑4.4–6.2、足徑3.8–5.8厘米。

瓶體飾瓜棱紋，蜻蜓形雙耳，內套活環。

現藏故宮博物院。

龍紋蝶耳活環瓶

清

高21.2、口徑4.3、腹寬12.2厘米。
圓腹，長頸，頸外飾變形蟬紋六組及圓形蝶耳，耳內各套一活環。
現藏故宮博物院。

獸面紋出戟瓶

清

高20.2、寬10.6厘米。

蓋形如倒斗，每面浮雕兩個小夔龍，頸部四面各雕一獸面，肩部四面浮雕獸面紋，而正、背面相當于獸面紋的鼻梁正中處各飾一半圓雕獸頭。

現藏故宫博物院。

雙連瓶

清

高27.4、長26、寬13.5厘米。

較高者頸部雕一鳳，肩兩側有一對象首耳，腹部淺浮雕夔龍紋，矮者蓋上淺浮雕夔龍，腹兩面淺雕相對的夔龍紋。兩器中間雕一鳳，底有“大清乾隆年製”題款。

現藏故宮博物院。

螭紋菱形瓶

清

高27.2、口徑4–6.4厘米。

横截面爲菱形，頸部雕螭紋。

現藏故宫博物院。

鐘表紋六方瓶

清

高28.8、寬14.5厘米。

該器在六個邊棱上各有一條出戟，其形式爲圖案化的雙連夔鳳的連續組合。與瓶體的六方式相對應。瓶蓋也是六方體，但爲錐形六方體，蓋鈕爲穹窿形的錐體，内空，邊緣開小窗。

現藏故宫博物院。

梅花紋瓶

清

高27、寬13厘米。

瓶較扁，橢圓形口，瓶外兩側鏤雕老梅，瓶下雕岩石。

現藏故宮博物院。

水晶夔紋八環瓶

清

高19.3、口徑6.4、足徑5.5厘米。

水晶質。蓋頂雕一花形鈕，環鈕出四象鼻形耳，耳上各套一活環。

現藏故宮博物院。

龍戲珠瓶

清

高18.1、口徑3.5、底徑2.4–3.9厘米。

扁圓形體，圓口，橢圓足，肩和頸部凸雕龍戲珠紋。

現藏故宫博物院。

龍鳳紋瓶

清

高19.3、口徑2.8–4.6、底徑2.1–10.7厘米。

立體鏤空，鳳馱瓶式。蓋頂凸雕蟠螭紋，瓶素身，扁圓形，透雕雙夔耳。

現藏故宫博物院。

夔耳瓶

清

高19、寬11厘米。

瓶蓋及瓶身皆光素，雙夔耳，蓋頂雕卧獸鈕。

瓶腹部雕一螭和一立龍，兩側雕人物。

現藏故宫博物院。

夔耳瓶側背面

瑪瑙龍鳳瓶

清

高18.1、口徑4-6.5、足徑7-19.1厘米。

瑪瑙質。瓶身兩側分別雕一龍一鳳，寓意龍鳳呈祥。

現藏故宫博物院。

鷹熊雙連瓶（右圖）

清

高19.9、單口徑4.2、足徑6.3–8.7厘米。

體扁圓形，雙筒相連式，蓋爲凸雕雲螭紋，器正面爲鷹踏熊首形，雙翅抱瓶，口銜活環。

現藏故宫博物院。

鳳螭紋蓋瓶

清

高17.6、寬18.4厘米。

圓雕扁瓶與中空的松幹相連，其間鏤雕松枝、蟠螭及立鳳。

現藏天津博物館。

鳳螭紋雙聯蓋瓶

清

高16.3、寬16.7厘米。

兩瓶相連，一瓶雕成立鳳造型，一瓶飾雙活環耳。兩瓶身均雕螭紋。底刻“乾隆年製”篆書款。

現藏天津博物館。

海棠式觚（右圖）

清

高33、寬19.6厘米。

器型仿古彝器，龍首活環。

現藏故宮博物院。

獸面紋象耳活環觚

清

高22.6、口徑10.4、足徑8.1厘米。

口、足爲五瓣外撇花形，頸部和足上爲俯仰變形蟬紋，腹部施獸面紋，象首活環。

現藏故宮博物院。

三羊尊

清

高14.3、口徑7.8、足徑7厘米。

腹部等距凸雕三羊首，有“三陽開泰”之意。

現藏故宮博物院。

龍穿花紋蝶耳尊

清

高16.3、口徑9.5–16.1厘米。

撇口，横截面呈橢圓形，頸上部四面各鏤雕花蝶套環耳，器身飾龍穿花紋。

現藏故宮博物院。

天鷄尊

清

高21、長17、寬7.5厘米。

天鷄呈立姿，尊置于天鷄背上。

現藏故宫博物院。

青金石獸耳活環爐

清

高13.4、口徑11.1厘米。

青金石質。蓋飾短環形鈕，蓋面雕四組獸面紋。腹部出戟，飾獸面紋。兩獸耳套活環。

現藏故宮博物院。

獸面紋雙耳爐

清

高14.1、口徑7.7厘米。

蓋頂飾蟠龍銜蓮式鈕，蓋面及爐身滿飾獸面紋，器身兩側飾龍銜帶式耳，器底部有三獸首吞足。

現藏故宮博物院。

獸面紋雙耳爐

清

高10.3、口徑9.2厘米。

口沿外陰刻一周回紋，腹部中間飾一周獸面紋，并以上下各一周凸弦紋做欄，荷花托蓮式蓋頂。蓋面有凸獸面紋一周。

現藏故宮博物院。

蓮花八寶紋爐

清
高15.5、口徑13.3厘米。
蓮瓣式，蓋面蓮瓣紋内雕雲蝠紋，
爐身蓮瓣紋内飾坐佛及八寶紋。
現藏故宫博物院。

瑪瑙螭鈕獅足香爐

清
高12.1、口徑9.9厘米。
瑪瑙質。鐘形蓋，螭形蓋鈕，蓋身飾三象首，
其上各穿一活環。爐身兩端飾龍首耳，亦各穿
活環。下有三獅面紋足。
現藏浙江省杭州歷史博物館。

瑪瑙龍耳獅足香爐（上圖）

清

高12.3厘米。

瑪瑙質。蓋鈕爲一回首的立獅，兩側各雕龍銜耳，三足爲獅面紋。

現藏浙江省杭州歷史博物館。

雲帶紋雙耳爐

清

高15.5、口徑11厘米。

雙朝冠耳，三矮足，蓋頂呈喇叭口形，蓋面上部凸雕三個環飾。

現藏故宮博物院。

仿召夫鼎

清

高25.1、長20.9、寬13.8厘米。

口沿飾一周雷紋，口沿上有雙立耳。

腹部出戟，戟間飾獸面紋。

現藏故宮博物院。

獸面紋簋

清

高15.2、口徑21.6厘米。

頸部飾夔鳳紋，腹部出戟，飾獸面紋。兩側有獸首形耳，耳內套活環。底心刻“乾隆仿古”四字。

現藏故宮博物院。

獸面紋簋

清

高12.7、長22.5、寬14.6厘米。

蓋飾短環形鈕，蓋面出戟，飾獸面紋。腹下部飾獸面紋。兩側有獸形耳。

現藏故宮博物院。

龍紋獸形匜

清
高21.5、寬18.3厘米。
匜呈獸形，下有四足，尾爲柄，
蓋飾活環鈕。器身飾龍紋。
現藏天津博物館。

鳳首龍柄觥

清
高16.6、長18、寬7.9厘米。
橢圓圈足，腰部一鳳紋造型，頸部雕一鳳頭，
方折拐子形柄，一龍自柄部鑽過。
現藏故宮博物院。

龍首觥

清

高24.6、長17.4、寬8.2厘米。

外壁自上而下分别飾回紋、勾雲紋、絢紋及龍首紋。觥口内隸書“乾隆年製”款。

現藏故宫博物院。

龍首觥

清

高23.2、口徑3.2–9.3厘米。

腹部琢凸起勾雲紋，腹壁鏤雕一螭龍，下部雕一仰面龍頭，兩龍角爲足。

現藏故宫博物院。

瑪瑙鳳首觥

清

高10.3、口徑8.3–10.3厘米。

瑪瑙質。紅縞色地，兩側有白色帶狀紋理。體呈夔鳳負杯式，鳳爲卧姿，杯壁兩側各雕一螭。

現藏故宫博物院。

獸面紋兕觥

清

高18.7、口徑7.4–15.8、足徑4.2–7.7厘米。

蓋爲卧獸形，蓋頂飾半環形鈕，內套活環。器身出戟，飾夔龍紋及獸面紋。獸首形柄，有高橢圓足。

現藏故宫博物院。

水晶兕觥

清

高22.6、口徑6.5–12、足徑4.5–5.5厘米。

水晶質。蓋面前端爲一雙角獸首，器口前高後低，透雕夔式柄，橢圓高足。

現藏故宫博物院。

碧玉架白玉杯

清

通高19.3、杯高3.7、徑13.5厘米。

杯壁光素無紋，鋬面上雕“壽”字，下有柄。

杯與架之間有一如意形托。碧玉架呈几形。

現藏故宮博物院。

瑪瑙杯

清

高6.7、口徑10.5、足徑4.2厘米。

瑪瑙質。壁薄，器型規矩，琢磨圓潤。

現藏故宮博物院。

菊瓣紋高足杯

清

高11.1、口徑14.7、足徑4.1厘米。

杯外壁飾菊瓣紋，足把上飾獸面紋。

現藏故宮博物院。

水晶八角杯

清
高5.7厘米。
水晶質。體呈八角形，龍首吞花式耳，底中心陰刻雙行“乾隆年製”四字篆書款。
現藏故宮博物院。

雙龍耳杯

清
高6厘米。
杯身兩側雕攀壁龍紋作耳。中心淺刻隸書“乾隆御用”款。
現藏故宮博物院。

刻詩葵瓣紋碗

清

高6.7、口徑15、足徑6.7厘米。

碗呈葵瓣式，葵瓣内刻詩文及折枝花紋。

現藏故宫博物院。

薄胎菊瓣碗

清

高5.1、口徑9.2厘米。

口部内外壁皆用减地陽紋碾琢出纏枝花卉，碗腹部、底部和圈足都以排列整齊緊密的菊瓣紋爲飾，菊瓣外壁弧凸，内壁弧凹。

現藏首都博物館。

錯金嵌寶石碗

清

高4.8、口徑14.1、足徑7厘米。

桃寶雙耳，花瓣式底足。外腹下嵌金片爲枝葉，在大小花朵上鑲嵌着紅色玉石一百八十粒。

現藏故宮博物院。

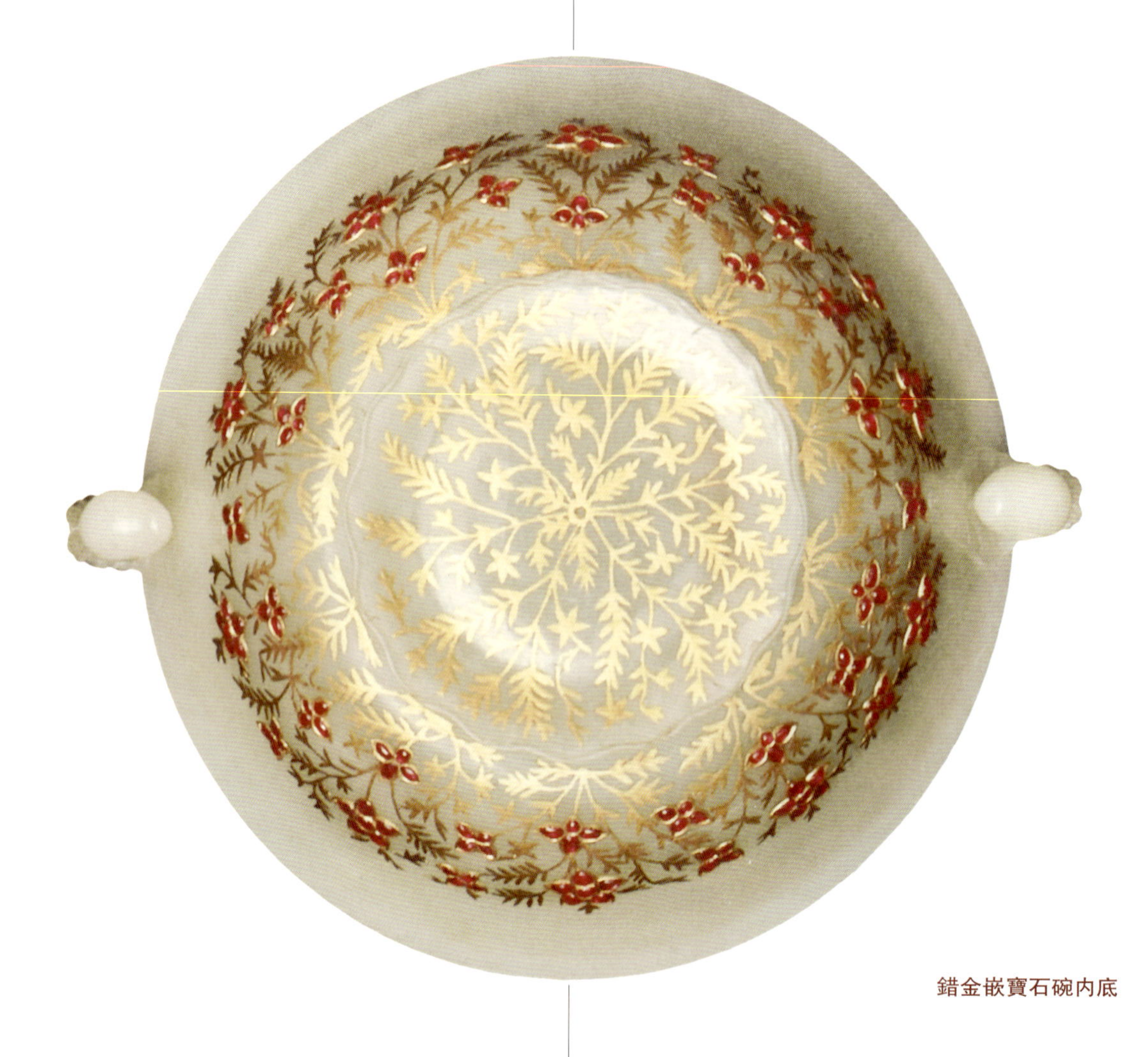

錯金嵌寶石碗内底

三螭紋盞

清

通高7厘米，盤長15.5、寬12厘米。

由盞托及盞兩部分組成，盞外側雕三螭，盞底及托底都有“乾隆年製”款，座飾蓮瓣紋與乳丁紋，托沿外鏤雕三螭。

現藏故宮博物院。

菊瓣耳盤

清

高6.7、口徑22.4厘米。

整個盤形酷似盛開的菊花形狀，盤內有御書詩一首。

現藏故宮博物院。

花瓣式盤

清
高3.8、口徑16.8、足徑10.3厘米。
花瓣式口，通體刻花瓣紋。
現藏故宮博物院。

牡丹花熏

清
高10.2、長20、寬14厘米。
通體以鏤雕牡丹花卉組成立體圖案。
現藏故宮博物院。

八卦紋香熏

清

高11.9、口徑10.5、足徑8厘米。

透雕雲龍紋蓋頂，蓋面刻八卦紋。

腹部飾夔龍紋。二捲尾龍爲耳。

現藏故宫博物院。

夔龍紋香熏

清

高13.4、外口徑22.1、内口徑15.5、足徑8.3厘米。

蓋鈕設計較爲别致，側看爲蓮臺座，俯視則爲寫實的荷葉擁蓮實圖樣，鏤空部位選擇在蓋的下部，腰外壁凸雕方齒紋一周，下爲夔龍纏繞紋四組。

現藏故宫博物院。

“山”字紋花熏（右圖）

清

通高12.6、玉高5.3、直徑7.6厘米。

圓筒形，上下口沿各飾一周勾雲紋，圓筒分爲兩截，各有五個“山”字形榫，相互套連，均可活動，但不能將兩截分開。

現藏故宮博物院。

獸面紋香熏

清

高21.8、口徑21.6、足徑16.6厘米。

蓋面鏤雕纏枝蓮紋，蓋頂飾蟠龍紋。腹部飾獸面紋。兩側有朝冠耳。

現藏故宮博物院。

瑪瑙花鳥紋罐

清

高7.1、口徑4.1、底徑5.8厘米。

瑪瑙質。外壁飾花卉紋、相對雙鳥紋、勾雲紋及龍紋。

現藏故宮博物院。

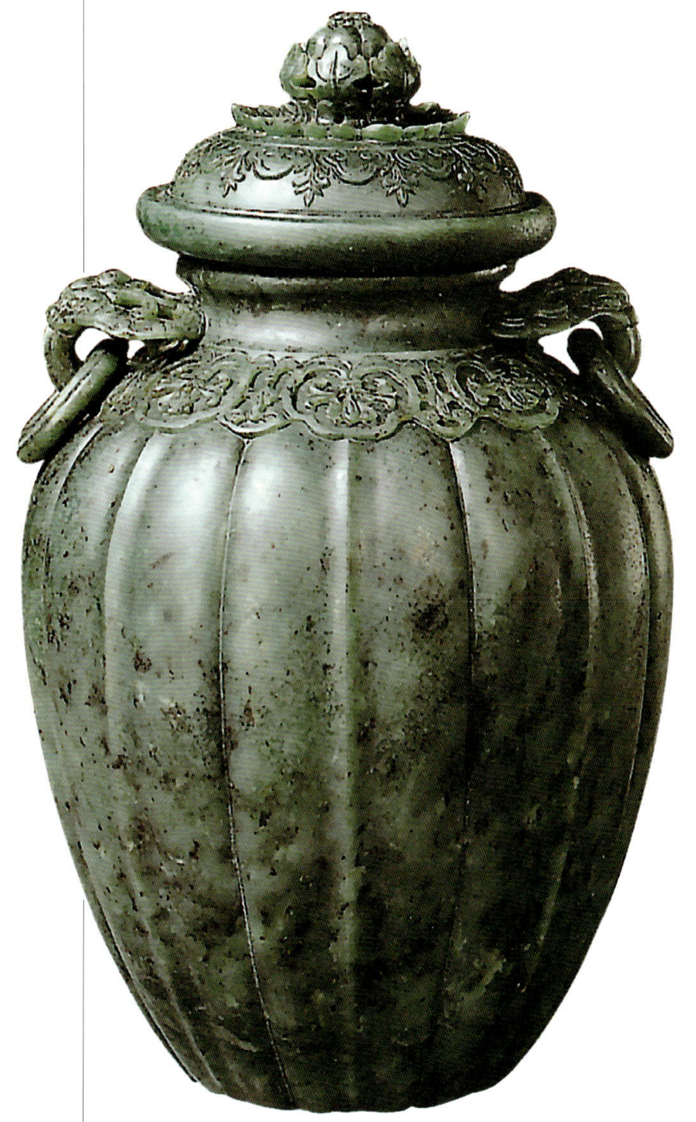

龍耳活環瓜棱紋蓋罐

清

高22.1、口徑7.1、足徑7厘米。

蓋頂中央一小瓜，周圍透雕葉紋，蓋面凸雕瓜葉紋和垂雲紋一周。

現藏故宮博物院。

天鷄紋罐

清

高9.7、口徑6.5、足徑6.5厘米。

口上蓋一玉片，上有十六小孔，狀若蓮蓬。腹部雕三隻展翅天鷄。

現藏故宮博物院。

團花蓋罐

清

高15.2、口徑12.9、足徑6.7厘米。

白色。玉質潔美，體呈球形。蓋面和下部凸雕各式圓形團花，圖案有蝙蝠銜磬、“卍”字、靈芝、萬年青、竹枝、葡萄、蝴蝶和團“壽”字等。

現藏故宮博物院。

嵌寶石爐 瓶 盒

清

爐高10.5、口徑8－10.5厘米，瓶高11.8、口徑1.9－2.6厘米，盒高3.8、口徑6.5厘米。

三件器物皆嵌寶石數周。

現藏故宮博物院。

動物紋豆

清

高25.1、口徑15.8厘米。

仿古彝器，環形鈕，鈕上琢四夔鳳，蓋面及腰足各部凸雕人物和飛禽走獸。

現藏故宮博物院。

四蝶耳八環奩

清

高12.2、口徑13.8、足距2.1厘米。

蓋頂爲四如意團抱對稱捲草紋，四角各套活環。器身飾四蝶套活環耳。底部雕四靈芝形雲頭足。現藏故宮博物院。

勾蓮紋活環奩

清

高10.2、口徑10、足徑7.2厘米。

花耳活環，蓋頂爲深琢蓮花，奩身飾勾蓮紋。現藏故宮博物院。

果盒

清

高10.2、口徑19、底徑10.9厘米。

除底部以外整體鏤空，雕花葉紋。

現藏西藏自治區羅布林卡。

白菜花插（右圖）

清

高16、長12.2、寬6.1厘米。

器身呈白菜造型。

現藏故宮博物院。

翡翠丹鳳紋花插

清

高25、口徑5.9–8.6、足徑5–7.3厘米。

器呈樹幹狀，上雕樹枝、牡丹花、飛鳥、仙鶴及立鳳。

現藏故宮博物院。

佛手式花插

清

高16.3、口徑4.5–8.2厘米。

器呈佛手造型。

現藏故宮博物院。

龍鳳花插

清

高16.3、寬20.5厘米。

立體鏤空，龍鳳相對，梅花、寶珠相間。

現藏故宮博物院。

瑪瑙雙孔花插

清

高19.3、寬22厘米。

瑪瑙質。器呈桃樹枝幹形，上雕桃實、蝙蝠和靈芝等，有雙孔。

現藏故宮博物院。

鵝形水丞

清

高9.5、長15、寬7厘米。

雕一立鵝，鵝身肥碩，口銜嘉禾和穀穗，曲頸回首。

現藏故宮博物院。

龍鳳雙孔水丞

清

高10.2厘米。

雕鳥身神龍，口銜一水池，背部有一圓孔。尾側立一琮式瓶，瓶側雕一立鳳。瓶身刻“乾隆年製”款。

現藏故宮博物院。

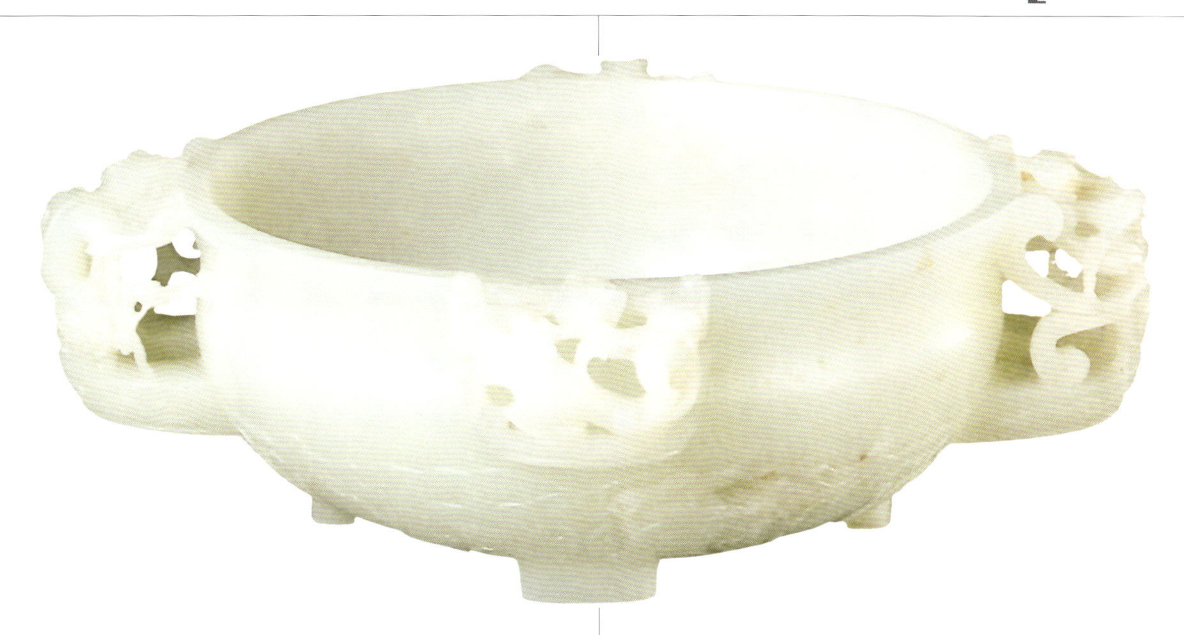

牡丹紋螭耳洗

清

高6.1、口徑15.4厘米。

外壁雕四螭，内底刻牡丹花紋。

現藏故宫博物院。

雙童耳洗

清

高7.2、口徑14.1厘米。

洗口部有流，流上方飾蝙蝠。洗身光素，兩側飾童子耳，一側童子手持萬年青，另一側童子手持靈芝，童子脚下踏祥雲。洗底四個垂雲足。

現藏故宫博物院。

蝠蓮紋獸耳活環洗

清

高8.5、口徑18.6厘米。

雙獸首耳，獸首兩側有捲葉形飛翅。洗外十二開光，開光相接處微下凹，并飾蕉葉紋，開光内淺浮雕蓮花蝙蝠紋。洗底有六個垂雲足。

現藏故宮博物院。

四花耳活環洗

清

高3.7、口徑10.2、足徑6.3厘米。

内、外雕刻紋飾，凸雕四花耳，菊花瓣足。内底琢兩周菊花瓣紋，中心陰刻小方格爲花蕊。

現藏故宮博物院。

雲龍紋洗

清

高14.8厘米。

洗外壁高浮雕雲龍紋。

現藏故宮博物院。

嵌寶石八角菱花洗

清

高3.8、口徑12.8厘米。

口沿外鏤雕八角菱花，上嵌紅綠寶石，壁極薄。

現藏故宮博物院。

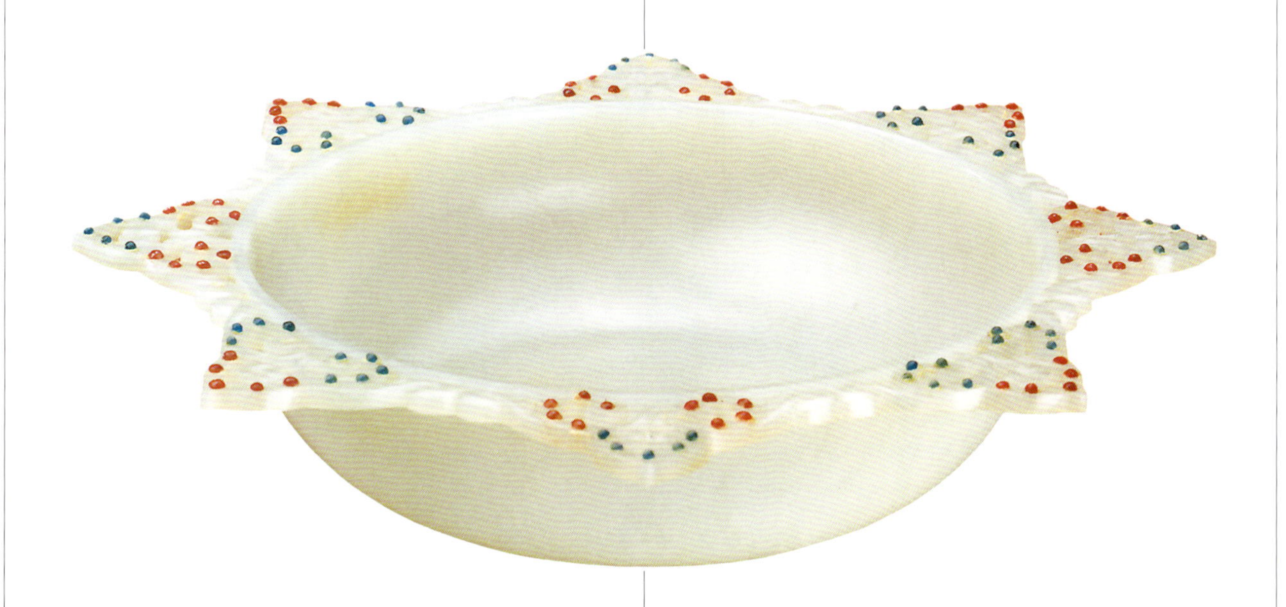

竹林七賢圖筆筒

清

高18、口徑19.5厘米。

通身雕三場景，一爲一老人亭畔携童而行，竹林深處四人圍于石案。二爲兩書童走在山間小路上。三爲二老在前緩行，一童抱琴于後。

現藏故宫博物院。

竹溪六逸圖筆筒

清
高19.5、口徑19.7厘米。
用浮雕陰刻等技法琢飾山、樹、竹林、瀑布、亭臺和人物。
現藏故宮博物院。

山水人物圖筆筒

清
高12.9、口徑13.9厘米。
浮雕技法琢飾山、樹、亭閣、動物和人物。
現藏天津博物館。

八卦十二章紋印色池

清

高7厘米。

蓋面中心刻八卦圖案，周邊飾勾雲紋。四面各凸雕三個章紋符號，分別有日、月、星辰、山、龍、華蟲、宗彝、藻、火、粉米、黼、黻等十二圖案。

現藏故宮博物院。

雙獅戲球鎮

清

長11.1、寬6.8、高9.4厘米。

圓雕子母獅。母獅昂首，口微張，性情温和，兩耳側垂，脊毛覆背。子獅卧于母獅一側仰望母獅，一綉球置于雙獅之間。

現藏浙江省杭州歷史博物館。

三羊開泰鎮

清
長16.6、寬16.2、高10.3厘米。
立體圓雕，三羊伏卧狀。
現藏故宮博物院。

雙蟹鎮

清
長11.2、寬16.8、高3.6厘米。
雙蟹相對，造型生動。
現藏故宮博物院。

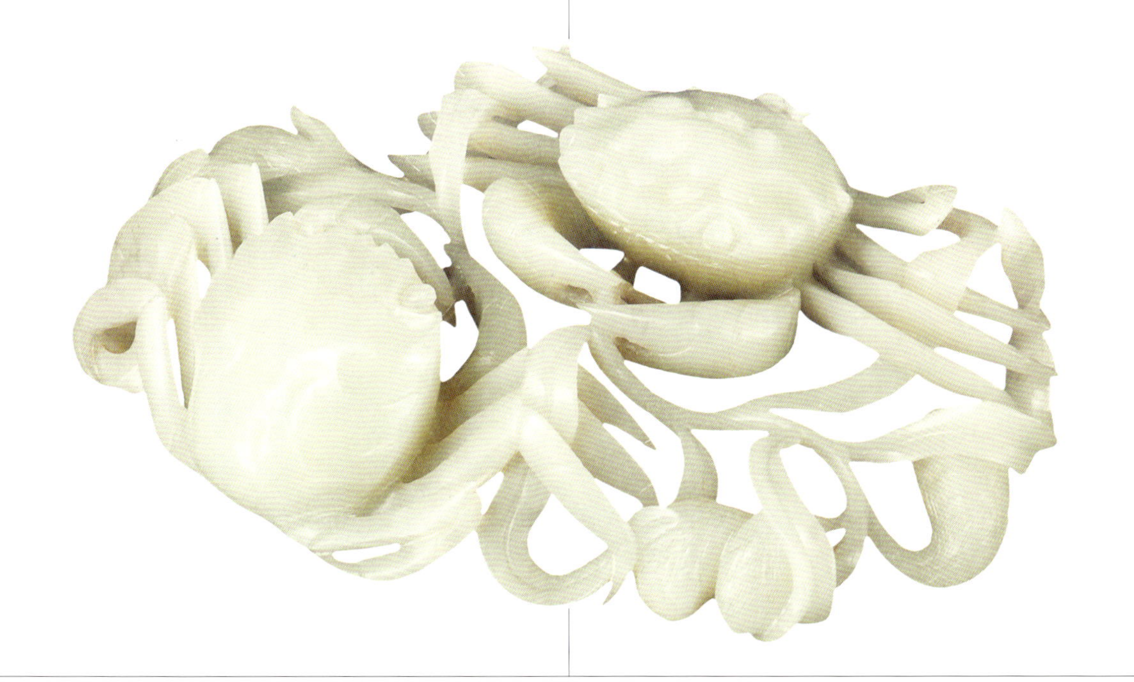

橋形筆架

清

長18.5、寬5.4、高8.2厘米。

爲立雕拱橋形，橋上雕過橋的行人，形態各异。

現藏故宮博物院。

橋形筆架

清

長22、高7.3厘米。

拱形橋上有過橋的行人，橋下一船穿過。

現藏故宮博物院。

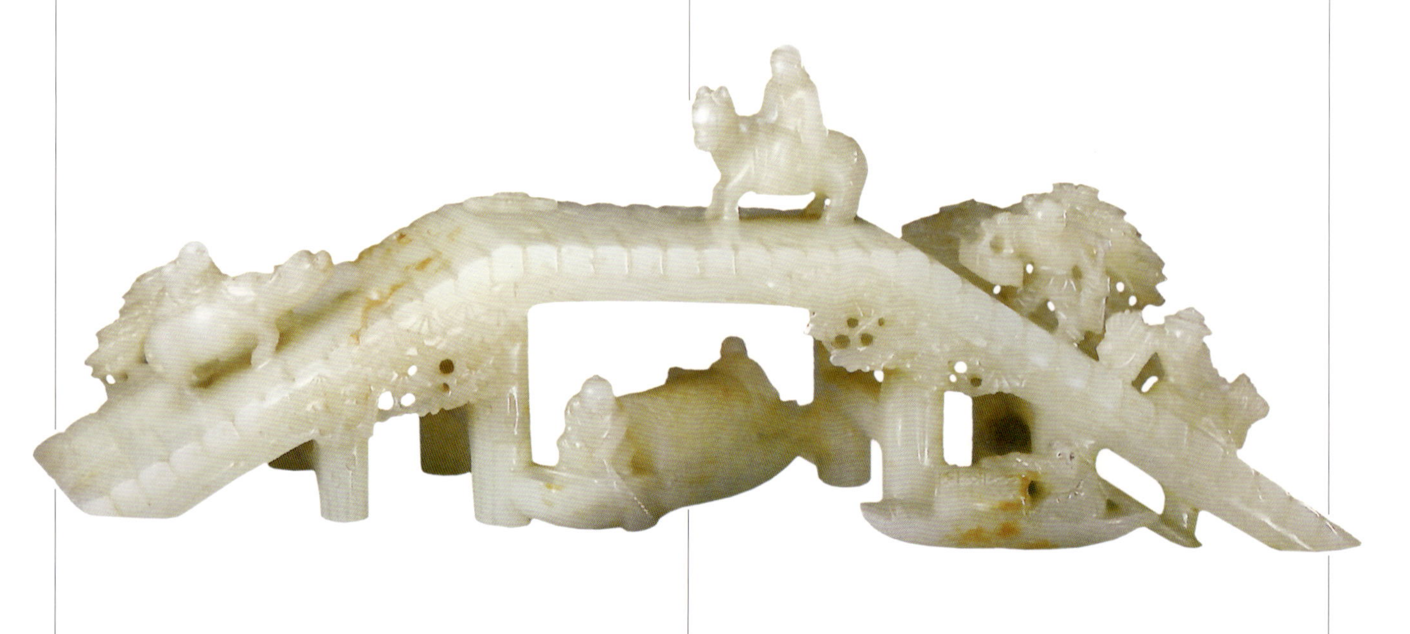

漁樵圖香筒

清

高18.6、徑4.5厘米。

筒壁以深雕、透雕、陰刻等技法琢飾通景，下部琢挑擔渡橋的樵夫和張網捕魚的漁民，上部琢高山、樹木、亭臺和流雲。

現藏故宫博物院。

雙檠燭臺

清

高34.4、盤徑20.8–28.7厘米。

立體圓雕雙檠，其上浮雕花卉紋。底盤爲海棠式，兩面琢刻菊瓣紋。

現藏故宫博物院。

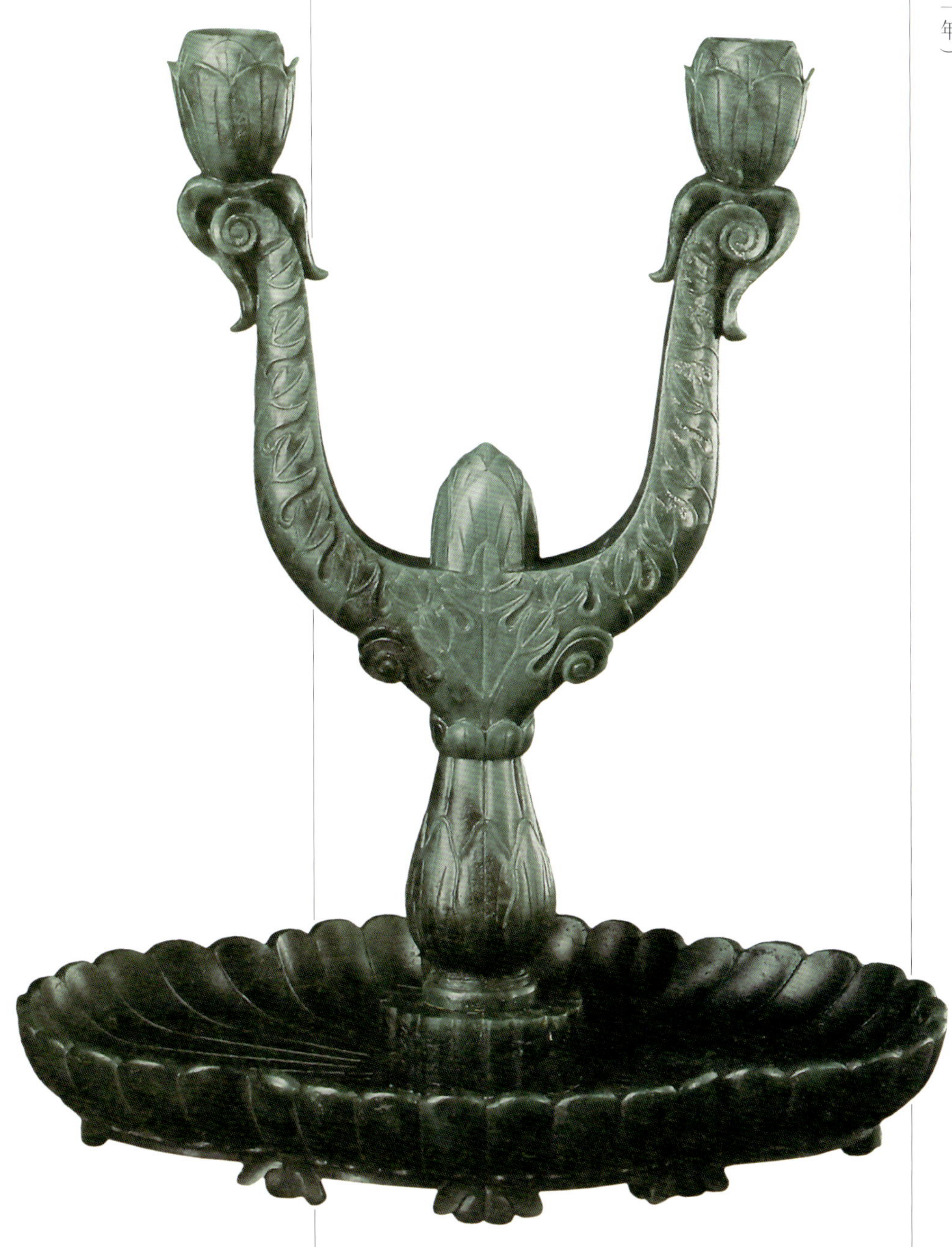

蓮瓣高柄托

清

高16.8、直徑17.4厘米。

三層蓮瓣式，最下層爲俯仰蓮瓣式座。

現藏故宫博物院。

人物紋香囊（右圖）

清

高10.5厘米。

囊身三面鏤雕細密錦紋地，并淺雕象徵福、禄、壽的三老人像。上端以荷葉形爲頂蓋，下部鏤雕荷葉、荷花、荷枝爲足。

現藏故宫博物院。

荷蓮紋香囊

清

長8.1、寬6.8厘米。

上部爲横梁，兩端各有一螭頭向上勾回，横梁上雕勾雲紋，下端有兩榫，插入蓋内。器身鏤雕荷蓮紋。

現藏故宫博物院。

花鳥紋香囊

清

陝西西安市徵集。

高1.7、直徑6厘米。

扁圓盒形，鏤空透雕花鳥紋，子母扣，上下造型與紋飾相同。

現藏陝西省西安市文物保護考古所。

漁樵圖插屏

清

高26.7、寬18.7厘米。

正面雕漁樵圖，巧用玉中所含淺色綹紋爲雨色。背面刻詩，并有朱“乾”白“隆”二印。

現藏故宫博物院。

耕讀圖插屏

清

長18.5、高26.7厘米。

上部雕高山、流水和飛雲，下部爲樹木和樓閣，一老者臨窗觀望，窗外一農夫正扶犁耕作。淺色條斑使得畫面似有雨中之感，極其難得。

現藏故宫博物院。

福壽圖牌

清

長12.95、寬11.4厘米。

花卉形，外沿凸起。正面鑲各種寶石，組成福壽圖，背面光素。

現藏浙江省杭州歷史博物館。

編磬

清

鼓長17.5、鼓博6.1、股長12.5、股博3厘米。

面飾描金龍紋，背部有“無射”二字。

現藏故宮博物院。

吉慶有餘磬

清

長31.3、寬21厘米。

兩面雕飾，一面雕鶴鹿同春、樓閣、人物和樹木，另一面飾海水、江牙、瓶和雲蝠等紋。磬下端寓意吉慶有餘。

現藏故宮博物院。

龍鳳靈芝紋如意

清

長38.8厘米。

柄部琢刻雲龍戲珠、丹鳳銜花和靈芝花紋，首部淺浮雕一火珠與兩隻蝙蝠相對，以象徵吉祥如意。

現藏故宫博物院。

花形匙

清

長24、最寬處5.4厘米。

整體造型如一朵鮮花，花蕊利用了黄色沁的天然色彩，構思精巧。

現藏故宫博物院。

年　表

（紅色字體爲本卷涉及時代）

新石器時代（公元前8000年—公元前2000年）
- 興隆窪文化（公元前6200年–公元前5400年）
- 仰韶文化（公元前5000年—公元前3000年）
- 馬家浜文化（公元前4800年—公元前4000年）
- 大溪文化（公元前4400年—公元前3300年）
- 大汶口文化（公元前4100年—公元前2600年）
- 崧澤文化（公元前4000年–公元前3300年）
- 北陰陽營文化（公元前4000年—公元前3000年）
- 紅山文化（公元前4000年—公元前3000年）
- 凌家灘文化（公元前4000年—公元前3000年）
- 良渚文化（公元前3300年—公元前2200年）
- 石峽文化（公元前2900年—公元前2000年）
- 龍山文化（公元前2600年—公元前2000年）
- 陶寺文化（公元前2500年—公元前1900年）
- 石家河文化（公元前2500年—公元前2000年）
- 齊家文化（公元前1900年—公元前1700年）
- 卑南文化（公元前1400年—公元前800年）

夏代（公元前21世紀—公元前16世紀）
- 夏家店下層文化（相當于夏）

商代（公元前16世紀—公元前11世紀）

西周（公元前11世紀—公元前771年）

春秋（公元前770年—公元前476年）

戰國（公元前475年—公元前221年）

秦代（公元前221年—公元前207年）

漢代（公元前206年—公元220年）
- 西漢（公元前206年—公元8年）
- 新（公元9年—公元23年）
- 東漢（公元25年—公元220年）

三國（公元220年—公元265年）
- 魏（公元220年—公元265年）
- 蜀（公元221年–公元263年）
- 吴（公元222年–公元280年）

西晋（公元265年—公元316年）

十六國（公元304年—公元439年）

東晋（公元317年—公元420年）

北朝（公元386年—公元581年）
- 北魏（公元386年–公元534年）
- 東魏（公元534年–公元550年）
- 西魏（公元535年–公元556年）
- 北齊（公元550年—公元577年）
- 北周（公元557年—公元581年）

南朝（公元420年—公元589年）
- 宋（公元420年–公元479年）
- 齊（公元479年–公元502年）
- 梁（公元502年–公元557年）
- 陳（公元557年–公元589年）

隋代（公元581年—公元618年）

唐代（公元618年—公元907年）

五代十國（公元907年—公元960年）

遼代（公元916年—公元1125年）

宋代（公元960年—公元1279年）
- 北宋（公元960年—公元1127年）
- 南宋（公元1127年—公元1279年）

西夏（公元1038年–公元1227年）

金代（公元1115年—公元1234年）

元代（公元1271年—公元1368年）

明代（公元1368年—公元1644年）

清代（公元1644年—公元1911年）